ENTRAÎNEZ-VOUS

VOCABULAIRE

GRAND DÉBUTANT

FABIENNE BALEZ

27, rue de la Glacière, 75013 Paris
Vente aux enseignants : 16, rue Monsieur-le-Prince, 75006 Paris

Introduction

Cet ouvrage est divisé en quatre grandes sections : les gens, les lieux, les activités et les services, elles-mêmes constituées de dix thèmes qui peuvent être abordés sans ordre préférentiel.

Il y a toutefois une progression dans les exercices appartenant à une même double page.

Ce livre a été conçu pour vous aider à explorer et à enrichir votre vocabulaire, ceci en fonction de situations auxquelles vous pourriez être confronté(e) ou bien en rapport avec un trait culturel français.

Le but de ce livre est de vous rendre actif vis-à-vis du lexique, c'est-à-dire de le découvrir dans son contexte, de l'isoler et de l'utiliser à nouveau.

Quelques précisions quant aux consignes ; celles-ci ont été rédigées avec les verbes clés suivants :

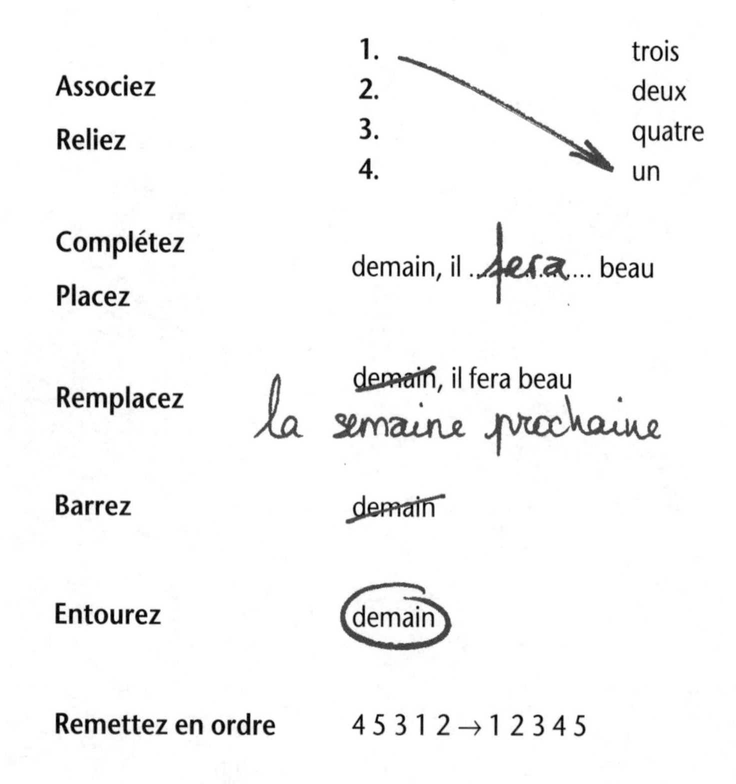

N'hésitez pas, si cela est nécessaire, à utiliser un dictionnaire.

Et maintenant... à vous !

Sommaire

Les gens

Les lieux

Les activités

Les services

Crédits photos
p. 16 : milieu droit : Lipnitzki-Viollet ; droite : Edimedia ; bas gauche : H. Roger-Viollet ; milieu gauche : Cat's collection ; milieu droite : H. Roger-Viollet ; droite : Edimedia ; p. 17 : haut gauche : H. Roger-Viollet ; haut droite et bas : Jean-Loup Charmet.

Couverture : François Huertas
Recherches iconographiques : Atelier d'Images
Illustrations : Olivier Balez, Laurent Richard
Composition et mise en page : CND International
Secrétaire d'édition : Hélène Gonin
Édition : Corinne Booth-Odot

Les gens

1. Le corps humain
2. Le visage
3. Les sens
4. La famille
5. Les caractères
6. Les gens célèbres
7. Les vêtements
8. Les gens et les animaux
9. L'horoscope
10. Les usages

1
Le corps humain

1. **Où a-t-il mal ? Associez les dessins aux phrases de la liste.**

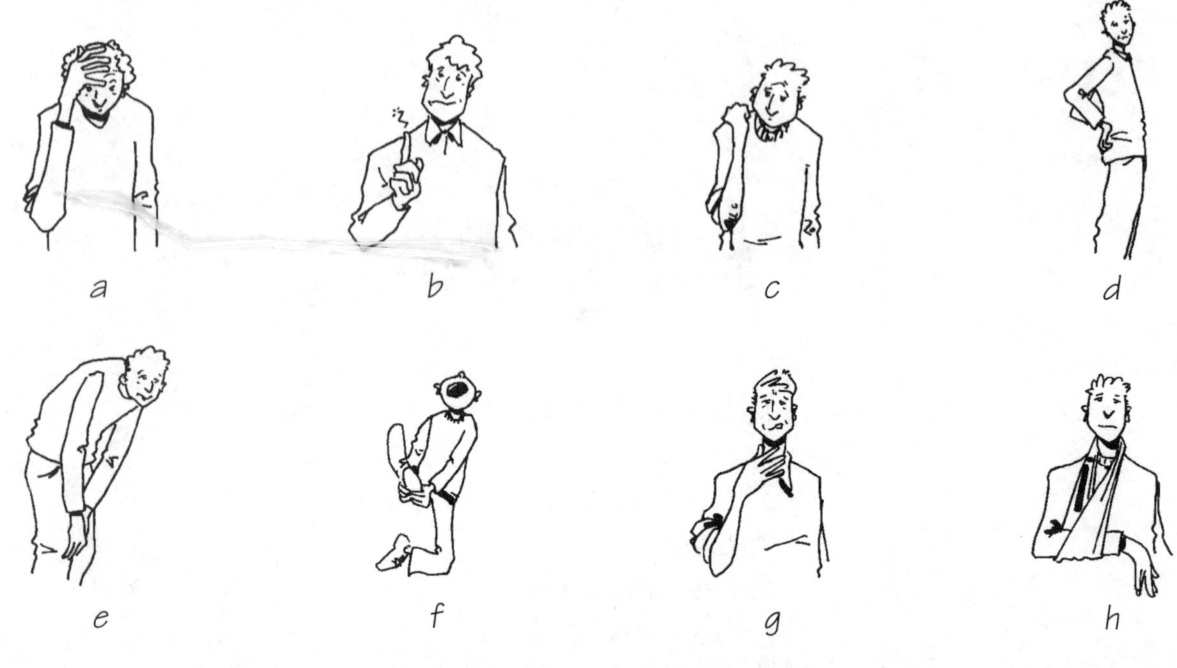

Il a mal au dos.	Il a mal au cou.	Il a mal au pied.	Il a mal au coude.
Il a mal au bras.	Il a mal à la tête.	Il a mal au doigt.	Il a mal au genou.

2. **Reliez pour dire quelles parties du corps on utilise pour :**

1. se pencher → **d.** le buste
2. pointer, montrer
3. saluer
4. menacer
5. courir

a. le bras
b. la tête
c. les jambes
d. le buste
e. le doigt

3. **À côté des noms de parties du corps suivants, écrivez E pour les parties extérieures (que l'on voit) ou I pour les parties situées à l'intérieur du corps.**

1. foie ☐	**2.** nez ☐	**3.** cœur ☐	**4.** cou ☐
5. os ☐	**6.** cheveux ☐	**7.** muscles ☐	**8.** peau ☐
9. poumons ☐	**10.** genou ☐	**11.** cerveau ☐	**12.** dents ☐

4. **Associez chaque consigne du professeur d'éducation physique au dessin qui correspond.**

1 Levez les bras !
2 Pliez les jambes.
3 Tournez la tête à droite puis à gauche.
4 Montez sur la pointe des pieds.
5 Penchez-vous en avant.
6 Montez les genoux à la poitrine.
7 Inclinez le buste latéralement à droite puis à gauche.
8 Écartez les jambes.
a
b
c
d
e
f
g
h

5. **Classez les adjectifs suivants dans la colonne qui convient :**

corpulent
mince
fin
maigre
obèse
sec
squelettique
élancé
fort
énorme
rond
gros

....	....
....	....
....	....
....	....
....	....
....	....

2
Le visage

1. **Classez les mots suivants selon les trois catégories.**

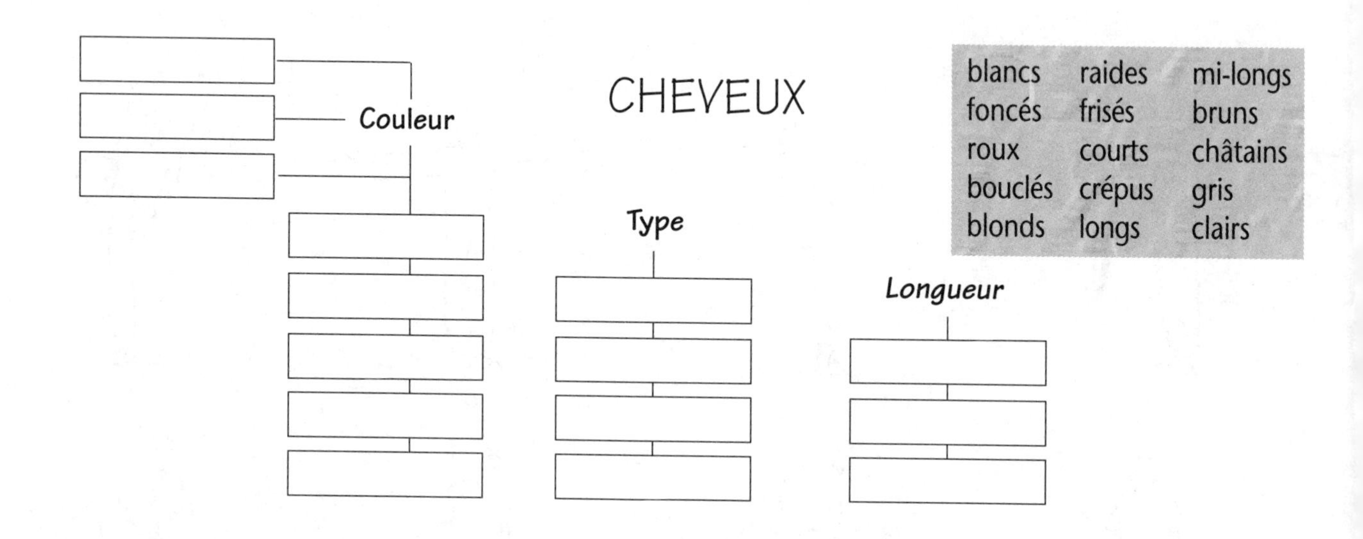

2. **Associez les dessins aux groupes de mots.**

1. un nez droit ☐ **3.** un front fuyant ☐ **5.** un nez retroussé ☐ **7.** des yeux enfoncés ☐
2. des yeux bridés ☐ **4.** une bouche charnue ☐ **6.** un menton en galoche ☐ **8.** une bouche fine ☐

a

b

c

d

e

f

g

h

3. Mots croisés.

1. Vous les froncez quand vous êtes en colère.
2. La tirer n'est pas poli.
3. Sans eux vous seriez aveugle.
4. Pour mâcher, il vaut mieux en avoir.
5. Vous pouvez sentir grâce à lui.
6. Elles sont utiles pour siffler.
7. Vous l'ouvrez toute grande quand vous êtes étonné.
8. Elles sont bien rouges quand il fait froid.
9. Partie du visage entre les sourcils et les cheveux.
10. Quand la barbe pousse, on ne le voit plus.
11. Vous vous en servez pour écouter.

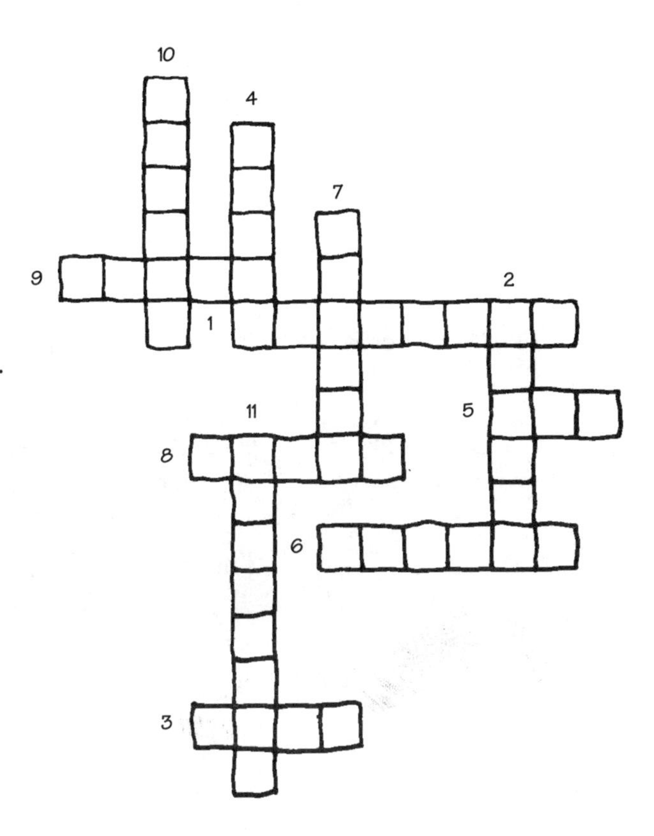

bouche	lèvres	oreilles	yeux	langue
menton	joues	sourcils	nez	front
dents				

4. Associez les dessins aux expressions puis trouvez leur équivalent.

1. Avoir les cheveux qui se dressent sur la tête. ☐
2. Avoir un chat dans la gorge. ☐
3. Mener quelqu'un par le bout du nez. ☐
4. Donner sa langue au chat. ☐

a. Lui faire faire ce qu'on veut.
b. Avoir peur.
c. Être enroué.
d. Ne pas trouver la solution à une question et abandonner.

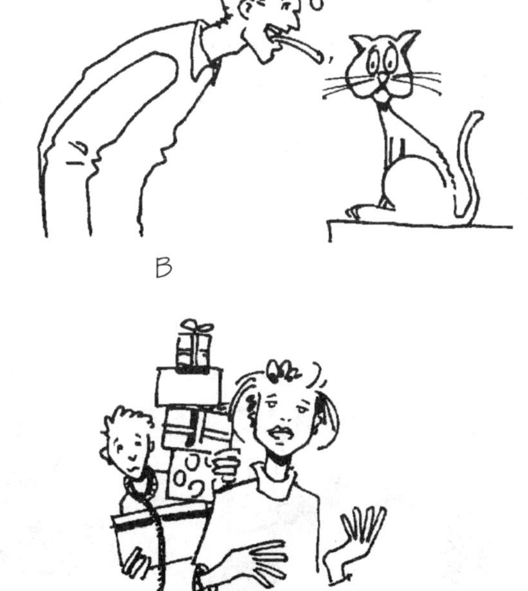

B

A

C

D

3
Les sens

1. **Classez les verbes de la liste en cinq catégories.**

fixer	renifler	écouter	humer	regarder	entendre	goûter	toucher
voir	caresser	déguster	masser	observer	savourer	tâter	respirer

la vue	*l'odorat*	*l'ouïe*	*le goût*	*le toucher*
....	....	....	....	....
....	....	....	....	....
....	....	....	....	....
....	....	....	....	....

2. **Associez les dessins aux phrases. Puis à l'aide de la liste, remplacez le verbe «voir» par un verbe plus précis.**

observer	assisté à	constaté	aperçu	visité

1. Avec le microscope, on peut *voir* de très petites choses. ....

2. Avez-vous déjà *vu* le petit village de Combresol, en Corrèze ? ....

3. J'ai déjà *vu* un match de boxe : c'est assez impressionnant ! ....

4. Je l'ai soudain *vu* dans la foule. ....

5. Quand il a *vu* les dégâts, il s'est mis dans une colère noire. ....

a

b

c

d

e

3. Dites ce qui est :

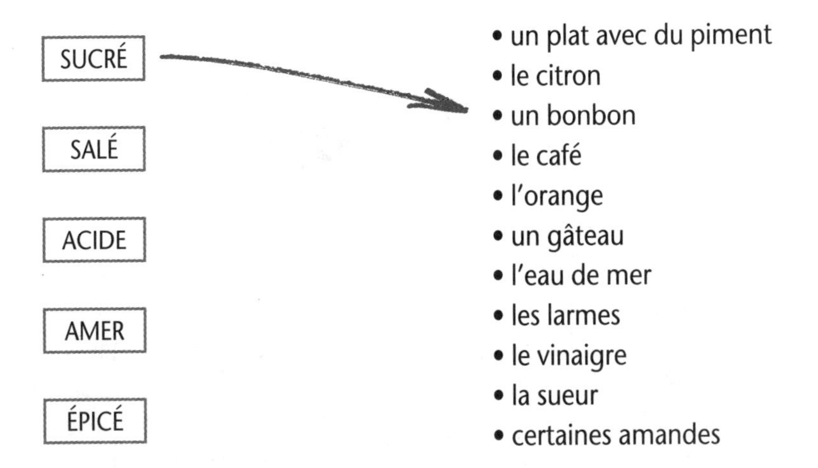

SUCRÉ

SALÉ

ACIDE

AMER

ÉPICÉ

- un plat avec du piment
- le citron
- un bonbon
- le café
- l'orange
- un gâteau
- l'eau de mer
- les larmes
- le vinaigre
- la sueur
- certaines amandes

4. Classez les verbes de la liste en deux catégories.

crier gémir murmurer
siffler hurler marmonner
rugir vociférer chuchoter
soupirer

Bruits faibles	*Bruits forts*
....	....
....	....
....	....
....	....
....	....

5. Retrouvez ce que dit chaque personnage.

1. «Il ne faut pas !» chuchota-t-elle. ☐
2. «Vos papiers !» hurla-t-il. ☐
3. «J'ai mal à la jambe !» gémit-il. ☐
4. «Je t'aime», murmura-t-il. ☐

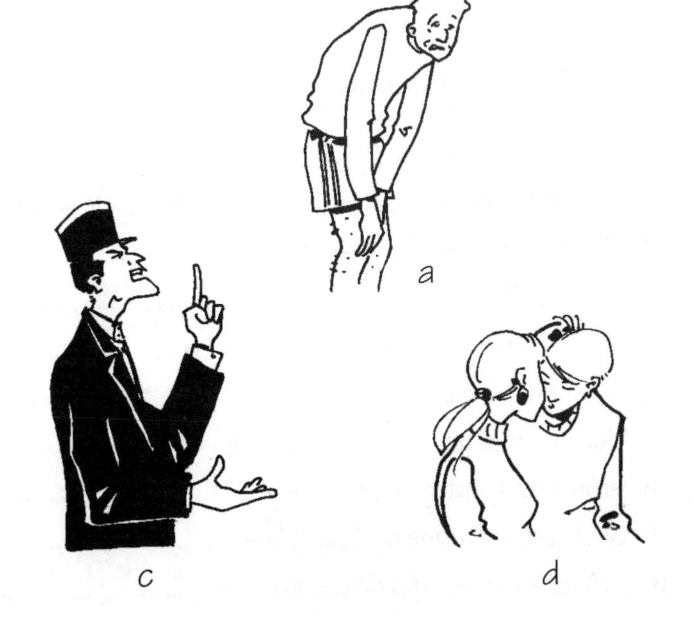

4
La famille

1. Complétez les deux tableaux.

	frère
nièce	
petite-fille	
	grand-père
cousine	
	fils

femme	
	père
tante	
	gendre
belle-sœur	
	filleul

filleule, fille
oncle, grand-mère
mère, belle-fille
beau-frère, neveu
mari, sœur
petit-fils, cousin

2. Regardez l'arbre généalogique et dites si c'est vrai ou faux.

Lorsque les affirmations sont fausses, réécrivez les phrases.

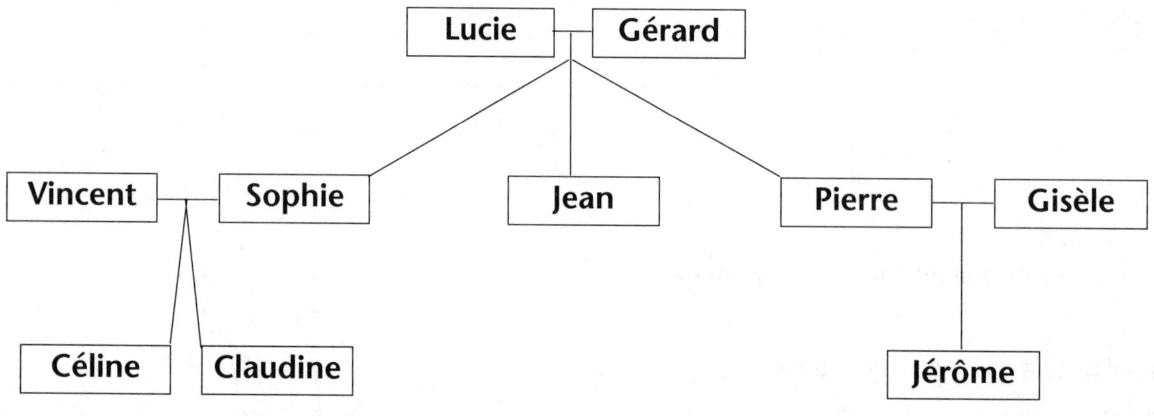

1. Sophie est la mère de Céline. ⟶ *Vrai.*

2. Jean est le neveu de Gérard.⟶ *Faux. Jean est le fils de Gérard.*

3. Claudine est la nièce de Jérôme. ⟶ ....

4. Pierre est l'oncle de Céline. ⟶ ....

5. Lucie est la grand-mère de Jérôme. ⟶ ....

6. Pierre est le frère de Jean. ⟶ ....

7. Vincent est le gendre de Pierre. ⟶ ....

8. Jérôme est la nièce de Jean. ⟶ ....

9. Gisèle est la cousine de Céline. ⟶ ....

10. Jérôme est le petit-fils de Gérard. ⟶ ....

3. Ils se ressemblent. Complétez les phrases.

1. Julie a le nez de son ....
2. Thomas a les mêmes yeux que son ....
3. Romain a le nez de son ....
4. Julie a les oreilles de sa ....
5. Thomas a la même bouche que son ....
6. Didier a les yeux de sa ....
7. Marthe a les même cheveux que sa ....

frère	grand-mère
oncle	petite-fille
mère	grand-père
père	

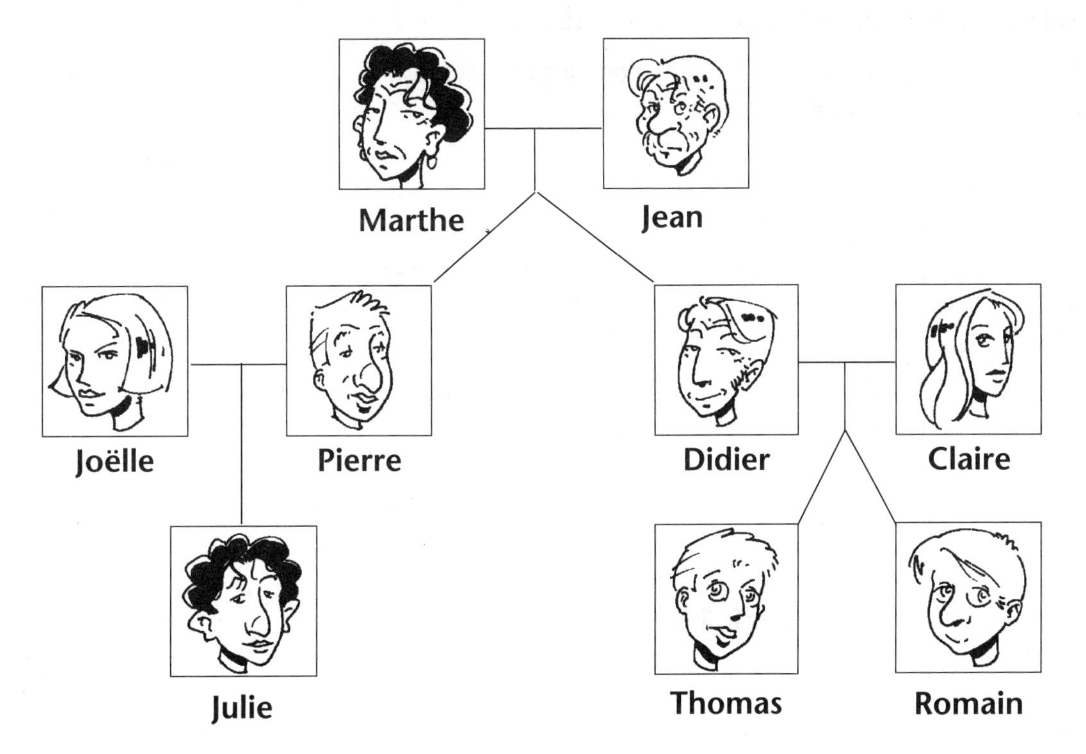

4. Classez les deux séries de mots selon un ordre logique.

a. adulte – enfant – nouveau-né – adolescent – personne âgée ....

b. collégien – retraité – écolier – étudiant – actif – lycéen ....

5. Reliez le verbe au nom de la même famille.

1. Réparer	a. une sortie
2. Acheter	b. une traversée
3. Conduire	c. une peinture
4. Peindre	d. un achat
5. Traverser	e. une réparation
6. Sortir	f. une conduite

5
Les caractères

1. Reliez les personnes aux adjectifs qui les caractérisent.

1. Jean-Marc veut réussir, il a commencé de longues études qui l'amèneront à être polytechnicien.
2. Stéphane parle beaucoup.
3. Georges punit durement ses élèves.
4. Véronique n'en fait qu'à sa tête.
5. Brigitte n'ose pas faire certaines choses ; elle est souvent gênée.
6. Jean ne salue pas les gens, ne les remercie pas.
7. Aurélie a des amis partout.
8. Vincent est conférencier mais ne sait pas intéresser son public.
9. Gabrielle connaît beaucoup de choses et sait en parler.
10. Fabrice veut tout connaître, il s'intéresse à tout.

- Il est sévère.
- Il est impoli.
- Il est curieux.
- Il est ennuyeux.
- Il est bavard.
- Il est ambitieux.
- Elle est têtue.
- Elle est sympathique.
- Elle est timide.
- Elle est intéressante.

2. Associez les dessins aux mots de la liste.

a

b

c

perplexe	amusé
en colère	méprisant
concentré	têtu
catastrophé	

d

e

f

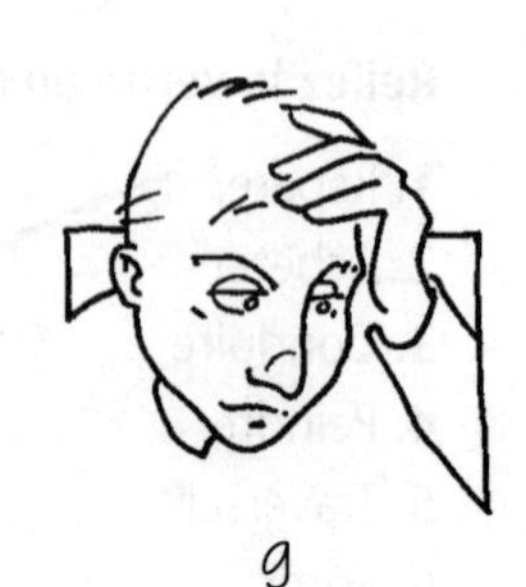
g

3. Faites le test.

Êtes-vous PEUREUX ?

1. Vous êtes seul(e) dans la maison et vous entendez des bruits bizarres.

a. Vous plongez sous votre couette et vous vous bouchez les oreilles.
b. Vous avez la main sur le téléphone, prêt(e) à appeler la police.
c. Vous vous levez et allez voir ce qui se passe.

2. Il est tard et vous rentrez chez vous… des bruits de pas se font entendre derrière vous.

a. Vous mettez la main dans votre poche, prêt(e) à sortir un objet pour vous défendre.
b. Vous accélérez le pas et vous changez de trottoir.
c. Vous continuez votre chemin en pensant à la soirée agréable que vous venez de passer.

3. Vous vous retrouvez en face d'un cobra, que faites-vous ?

a. Rien, vous êtes complètement cloué(e) sur place par la peur.
b. Avec des gestes très lents, vous tentez de reculer.
c. Vous lancez un caillou pour le faire déguerpir.

4. Quel lieu de vacances choisiriez-vous ?

a. Une villa au bord de la mer.
b. Une bergerie isolée dans la montagne.
c. Un château hanté en Écosse.

5. Dans une fête foraine, quel est votre endroit préféré ?

a. La buvette.
b. Le stand de tir.
c. Le train fantôme.

6. Quel est votre sport préféré ?

a. Le basket-ball.
b. Le ski.
c. Le parachutisme.

7. Quel film iriez-vous voir au cinéma ?

a. *Maman, j'ai encore raté l'avion !*
b. *L'important c'est d'aimer.*
c. *Le cap de la peur.*

8. Vous vous êtes perdu(e) en forêt et la nuit tombe.

a. Vous êtes terrorisé(e) à l'idée de devoir passer la nuit dans la forêt.
b. Vous tentez de vous repérer par rapport aux derniers rayons de soleil.
c. Vous criez en espérant que quelqu'un va vous entendre.

Résultat du test

Si vous avez une majorité de **c** : vous ignorez la peur, et semblez même rechercher le danger.
Si vous avez une majorité de **b** : vous savez dominer votre peur lors de situations difficiles… vous savez tout de même éviter les lieux ou les moments dangereux.
Si vous avez une majorité de **a** : Oui ! vous êtes peureux, vous paniquez dès que la situation devient difficile. Et si vous vous inscriviez à un cours de tai chi chuan, ça vous donnerait peut-être confiance en vous ?

6 Les gens célèbres

1. Retrouvez les personnes célèbres en fonction de ce qu'elles ont fait ou dit.

1. Il a dit : «C'est un petit pas pour l'homme, un pas de géant pour l'humanité.»
2. Il composa la *Passion selon saint Matthieu* et la *Messe en si mineur.*
3. Elle a été une actrice célèbre et défend aujourd'hui les animaux.
4. Il a fait la première traversée de la Manche en avion en 1909.
5. Le plus grand cinéaste espagnol.
6. Il fut l'un des premiers à doubler le cap de Bonne-Espérance et à pénétrer dans l'océan Indien.
7. Sculpteur et peintre, il fut aussi l'un des meilleurs architectes de la Renaissance italienne.
8. Une des figures majeures de la révolution d'Octobre.
9. Son théorème est encore célèbre de nos jours.
10. Grand écrivain anglais dont les romans furent, pour la majorité, des succès.

a. Brigitte Bardot
b. Charles Dickens
c. Jean-Sébastien Bach
d. Michel Ange
e. Louis Blériot
f. Luis Buñuel
g. Pythagore
h. Vasco de Gama
i. Neil Amstrong
j. Léon Trotski

2. Retrouvez le nom de ces célébrités par leur description ci-dessous.

1. Il louche.
2. Il a une moustache.
3. Il porte des lunettes.
4. Il est barbu.
5. Elle est noire.
6. Il a un très grand nez.

Jean Piat, dans *Cyrano de Bergerac*

Salvador Dali

Nina Simone

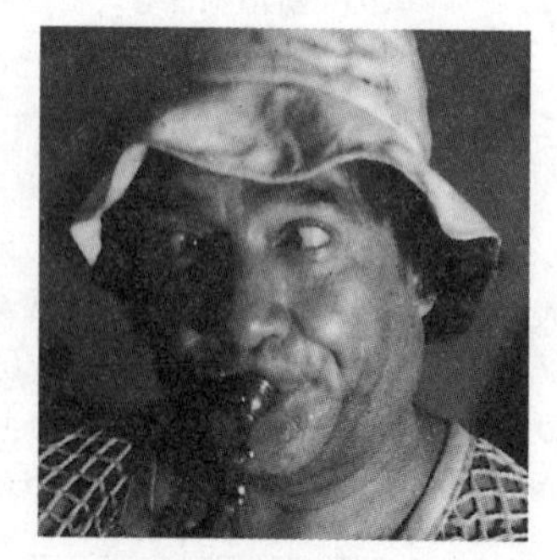
Ugo Tognazzi

Georges Simenon

Victor Hugo

ZOLA Émile (1840-1902)

Le romancier Émile Zola est né à Paris. Orphelin de père très tôt, il est élevé par sa mère dans le sud de la France. Il écrit de nombreuses nouvelles et devient célèbre quand son roman *Thérèse Raquin* est publié en 1867. Ce livre raconte l'histoire d'une femme qui pousse son amant à tuer son mari, puis qui regrette. Le style est très réaliste, comme dans tous les autres romans de Zola.
L'écrivain prenait beaucoup de soin à se documenter sur les milieux qu'il décrivait.

Zola est aussi l'auteur d'essais et d'articles de presse : c'est dans un de ses articles, «J'accuse», publié en 1898, qu'il demande un nouveau procès pour le capitaine Dreyfus, injustement accusé de trahison. Ses attaques contre l'armée l'obligent à se réfugier un temps en Angleterre. Il meurt à Paris.

Voici quelques titres d'œuvres de Zola : *Pot-Bouille, Nana, Germinal, la Bête humaine, l'Œuvre, l'Assommoir, la Terre, Au Bonheur des Dames.*

3. **Retrouvez les trois mots qui définissent Zola comme quelqu'un qui écrit.**

un r ....

un é..

un a..

4. **Dans quel ordre sont présentées les informations concernant Zola ?**

a. Ses actions politiques ☐
b. Sa façon d'écrire ☐
c. Son lieu de naissance ☐
d. Sa mort ☐
e. Ses œuvres ☐
f. Son enfance ☐

7
Les vêtements

1. Placez dans le tableau les noms des vêtements de la liste.

chemise de nuit	slip	tailleur	pantalon	manteau
pull-over	robe	costume	blouson	collant
imperméable	pyjama	chemisier	caleçon	cravate
maillot de corps	jupe	veste	culotte	
soutien-gorge	chemise	peignoir	anorak	

	Homme	*Homme et femme*	*Femme*
		7, 8	
		9	
HAUT / BAS	1, 2, 3, 4, 5, 6	10, 11, 12, 13	16, 17, 18, 19, 20, 21, 22
		14, 15	23

2. Retrouvez Nathalie, Virginie et François en vous aidant de leur description.

Nathalie porte un caleçon long à rayures et un chemisier blanc.
Virginie, elle, a un tailleur avec par-dessus, un imperméable.
Quant à François, il porte un caleçon et un maillot de corps sur lequel il a enfilé un peignoir.

3. Irène part à la montagne, Thomas à la mer. Retrouvez les vêtements qu'il faut à chacun.

une combinaison de ski	un bermuda	un anorak	un T-shirt
un maillot de bain	une écharpe	un short	des chaussettes
une chemisette	un pull-over	un bonnet	

4. Observez les dessins puis reliez.

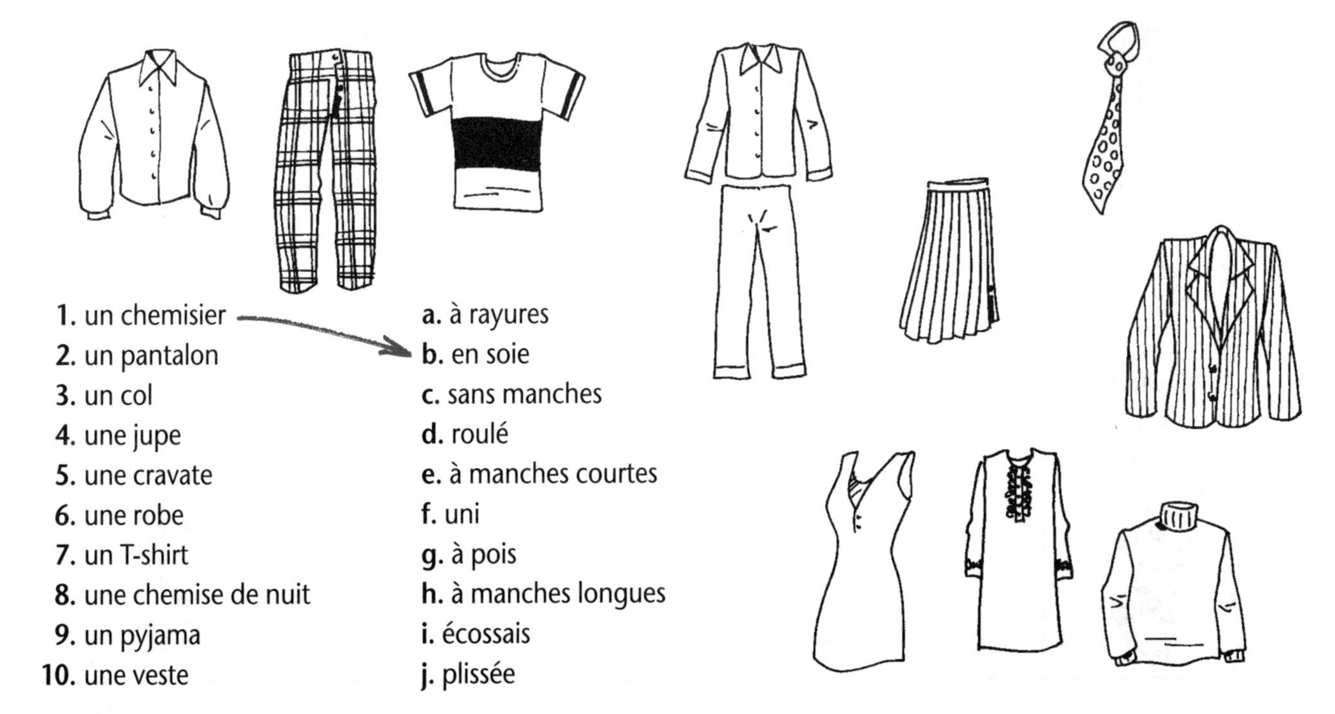

1. un chemisier → **b.** en soie
2. un pantalon
3. un col
4. une jupe
5. une cravate
6. une robe
7. un T-shirt
8. une chemise de nuit
9. un pyjama
10. une veste

a. à rayures
b. en soie
c. sans manches
d. roulé
e. à manches courtes
f. uni
g. à pois
h. à manches longues
i. écossais
j. plissée

8
Les gens et les animaux

1. **Classez les noms d'animaux suivants en trois colonnes : le mâle, la femelle et le petit.**

la chatte	la vache	le chiot	le canard	le lion	la poule	le coq	le louveteau
le chien	le cheval	le veau	l'ourson	l'ourse	l'agneau	la brebis	la lionne
la louve	la chienne	la jument	le chat	l'ours	le lionceau	le chaton	le mouton
la cane	le bœuf	le caneton	le poussin	le poulain	le loup		

	Le mâle	*La femelle*	*Le petit*

2. **L'homme parle mais que font les animaux ?**

1. La vache	**a.** siffle
2. Le mouton	**b.** aboie
3. Le lion	**c.** miaule
4. Le loup	**d.** hurle
5. Le serpent	**e.** rugit
6. Le chien	**f.** bêle
7. Le chat	**g.** meugle

3. **Notez pour chaque animal de la liste à quelle classe ou famille il appartient : reptiles (R), oiseaux (O), insectes (I), poissons (P) ou mammifères (M).**

le loup ☐	la grenouille ☐	le cheval ☐	la mouche ☐	le canari ☐	la fourmi ☐
l'ours ☐	le perroquet ☐	le requin ☐	le serpent ☐	l'araignée ☐	la poule ☐
la truite ☐	le crocodile ☐	l'abeille ☐	la dorade ☐		

4. **Reliez le nom des animaux de la liste à leur région d'origine.**

le chimpanzé	le lion	le panda	la baleine
le kangourou	le requin	le tigre	le renard
l'hippopotame	le cobra	l'aigle	le grizzly

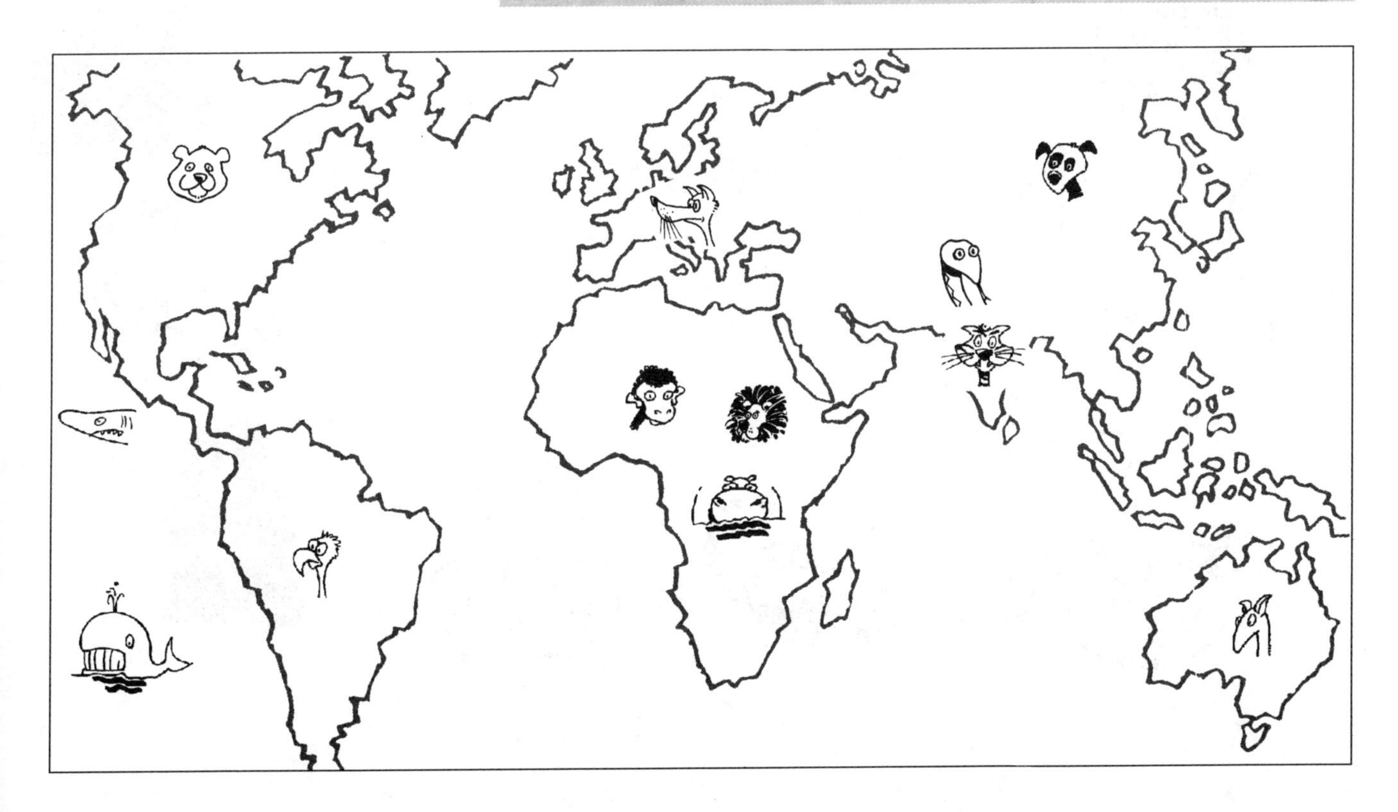

9
L'horoscope

1. **Associez les noms et les dessins des signes du zodiaque puis complétez la grille.**

1. Balance	3. Cancer	5. Gémeaux	7. Poissons	9. Scorpion	11. Verseau
2. Bélier	4. Capricorne	6. Lion	8. Sagittaire	10. Taureau	12. Vierge

2. Complétez le texte avec les mots de la liste.

Un bon *(1)* .... pour cette semaine ! Une grande créativité dans votre *(2)* .... va vous faire progresser. Le début du *(3)* .... est favorable aux voyages. Dès la première semaine, Vénus entre dans votre *(4)* .... N'hésitez pas à faire de nouvelles *(5)* .... Vous êtes en pleine *(6)* .... physique, bravo !

forme horoscope signe rencontres mois travail

3. Classez dans le tableau les éléments en italique des phrases suivantes selon qu'ils ont trait à la santé, au travail ou à l'amour.

1. Allez vous dépenser sur les *terrains de sport !*
2. Grande *efficacité* sur le plan du travail.
3. Rapprochez-vous de l'*être aimé.*
4. *Bonheur* parfait.
5. La grande *forme.*
6. Quelle *séductrice* vous faites !
7. Prenez bien *soin* de vous.
8. La stabilité de votre *emploi* peut dépendre de votre capacité à évoluer.
9. Vous pouvez prendre un virage décisif dans votre *carrière.*

Amour	***Santé***	***Travail***
....	....	....
....	....	....
....	....	....

4. Reliez l'expression à l'adjectif correspondant.

1. On ne saura pas par quel bout vous prendre.
2. Vous ferez preuve d'audace.
3. Vous fonctionnerez à l'intuition.
4. Grande efficacité sur le plan du travail.
5. Ils/elles tombent tous/toutes à vos pieds.
6. Vous y arriverez parce que vous savez ce que vous voulez.
7. Vous êtes doué(e) pour l'organisation.
8. Vous avez de l'énergie à revendre.
9. Vous possédez un grand pouvoir de concentration.
10. Rien ne vous arrête. Vous ne connaissez pas la fatigue.

a. Organisé/e
b. Énergique
c. Volontaire
d. Séducteur/trice
e. Audacieux/cieuse
f. Irritable
g. Intuitif/tive
h. Infatigable
I. Efficace
j. Concentré

10
Les usages

1. **Retrouvez ce que l'on dit dans certaines circonstances.**

À vos souhaits !	Bon anniversaire !
À votre santé !	Bon appétit !
Toutes mes félicitations !	Je vous en prie.
Mes condoléances !	Poisson d'avril !
Bonne année !	Comment allez-vous ?

2. Reliez les dessins aux consignes correspondantes.

1. Mettre ses coudes sur la table pendant le repas.
2. Offrir des fleurs à ses hôtes.
3. Faire du bruit après 22 heures.
4. Arriver à l'heure à un rendez-vous.
5. Mettre la main devant sa bouche quand on baille, éternue ou tousse.
6. Laisser la priorité à droite.
7. Ôter ses chaussures en arrivant chez quelqu'un.
8. Ouvrir un cadeau dès qu'on le reçoit.
9. S'habiller en blanc pour un enterrement.
10. Roter après le repas.

Classez maintenant ces consignes en choses à faire et à ne pas faire.

Les lieux

11
Le monde

1. Complétez le texte avec les mots de la liste.

mers	eau	nord	équateur	planète	continents
Asie	Indien	océans	hémisphère	globe	Amérique

Les *(1)* .... couvrent 70 % de la surface de notre *(2)* .... , c'est-à-dire que plus de la moitié du *(3)* .... est recouvert d'*(4)* ...., plus particulièrement l'*(5)* .... sud. En effet, les *(6)* .... sont davantage situés dans l'hémisphère *(7)* ....

Les deux hémisphères sont séparés par une ligne imaginaire : l'*(8)* ....

On compte trois grands *(9)* .... :

– l'océan Pacifique, qui sépare l'Amérique de l' *(10)* .... ;

– l'océan Atlantique, qui sépare l'Europe et l'Afrique de l' *(11)* .... ;

– l'océan *(12)* ...., situé juste en dessous de l'Asie, de l'Inde, d'où son nom.

2. Classez les mots dans le tableau en allant du plus petit au plus grand.

	Étendues d'eau	*Cours d'eau*
–	....	....
↓	....	....
	....	....
	....	....
+	....	....

mare	lac	ruisseau
étang	mer	cascade
fleuve	océan	rivière
torrent		

3. À l'aide de la carte et de la liste de pays, répondez aux questions.

1. Quel est le pays le plus peuplé ? ....

2. Quel est le plus gros producteur de platine ? ....

3. Quel est le plus gros producteur d'uranium ? ....

4. Quel est le plus gros producteur de diamants ? ....

5. Quel est le pays où l'inflation est la plus importante ? ....

6. Quel est le plus gros producteur d'automobiles ? ....

7. Quel est le plus gros producteur de textiles synthétiques ? ....

8. Quel est le plus gros producteur de pétrole ? ....

9. Quel est le pays le plus gros producteur de cacao ? ....

Australie	Côte d'Ivoire	Afrique du Sud	Chine	Japon
Corée	Canada	Arabie Séoudite	Brésil	

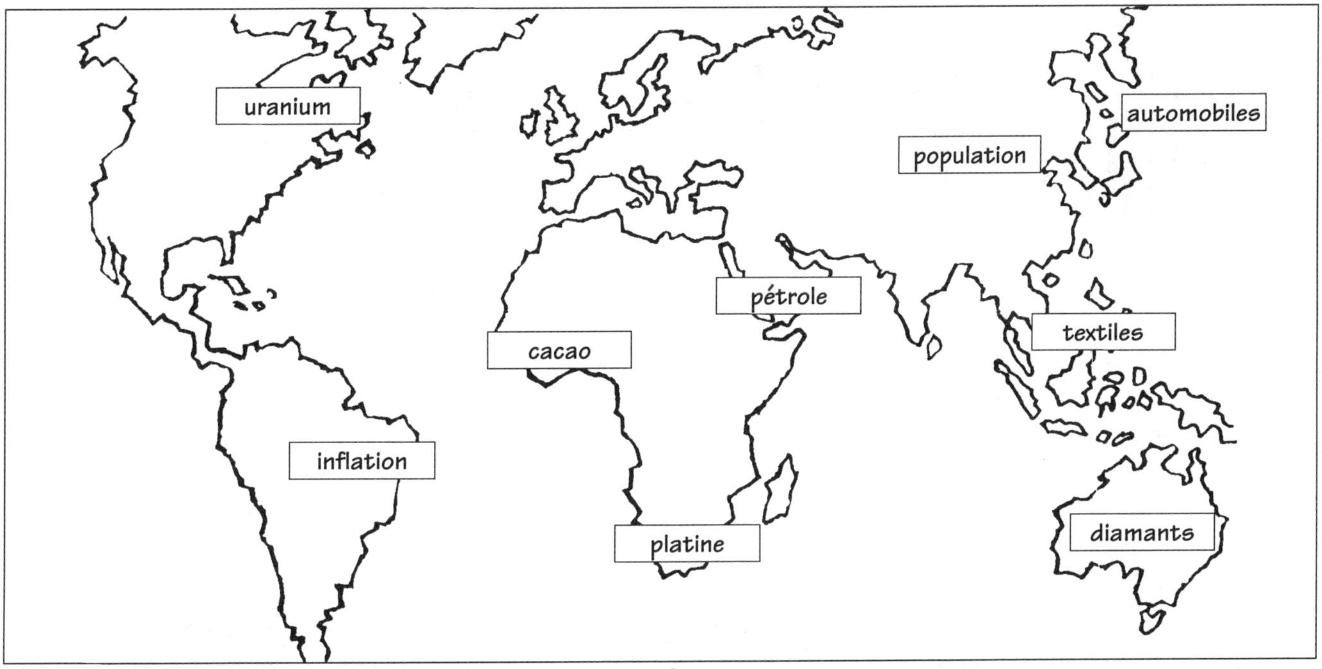

uranium
automobiles
population
pétrole
textiles
cacao
inflation
platine
diamants

4. Classez les mots de chaque série du plus petit au plus grand.

Exemple : lac / mer / océan

1. colline / montagne / butte ....
2. campagne / champ / plaine ....
3. métropole / village / ville ....
4. galerie marchande / supermarché / magasin ....
5. maison / tour / immeuble ....
6. arbre / forêt / bosquet ....
7. route / sentier / autoroute ....
8. continent / îlot / île ....

12
La maison

1. Regardez le dessin et associez les mots en italique dans le texte aux objets correspondants.

Voilà ma chambre. J'ai un lit où je ne dors pas très bien car le *matelas* ( ) est trop mou. Ma *couette* ( ) est à fleurs, elle est très jolie mais malheureusement, elle n'est pas assortie aux deux *tapis* ( ) placés de chaque côté du lit. J'ai une grande *armoire* ( ) dans un coin de la pièce. Sur ma *table de chevet* ( ), deux objets importants : une *lampe* ( ) car j'adore lire au lit avec un bon gros *oreiller* ( ) dans mon dos, et un *réveil* ( ) pour ne pas être en retard à mon travail, le matin. J'ai aussi une *commode* ( ) avec trois *tiroirs* ( ) pour ranger mes chaussettes et mes chemises. Au mur j'ai mis deux *affiches* ( ) et un petit *tableau* ( ).

2. Retrouvez la place de chacun de ces meubles ou objets dans la maison.

baignoire	bibliothèque	bidet	canapé	chaises	lit
congélateur	commode	couette	cuisinière	douche	réveil
lave-vaisselle	téléviseur	évier	fauteuil	lavabo	

Cuisine	*Salon*	*Chambre*	*Salle de bains*
....	....	....	....
....	....	....	....
....	....	....	....
....	....	....	....
....	....	....	....

3. Madame Mercier a dû s'absenter pour quelques jours. Voici la liste des tâches ménagères qu'elle donne à son mari.

À l'aide de la liste, retrouvez les verbes qui correspondent.
(Attention ! Plusieurs solutions sont possibles.)

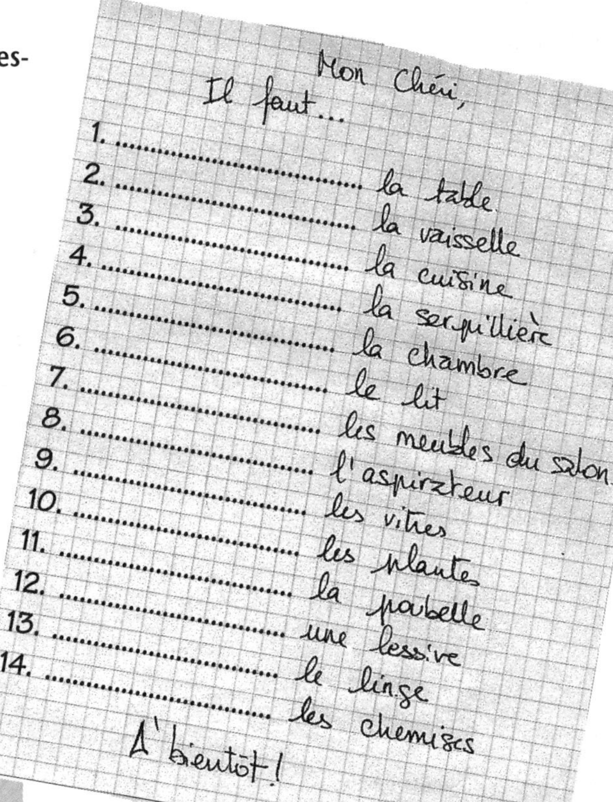

Mon Chéri,
Il faut...
1. ....
2. .... la table
3. .... la vaisselle
4. .... la cuisine
5. .... la serpillière
6. .... la chambre
7. .... le lit
8. .... les meubles du salon
9. .... l'aspirateur
10. .... les vitres
11. .... les plantes
12. .... la poubelle
13. .... une lessive
14. .... le linge
.... les chemises

À bientôt !

faire	faire	faire	nettoyer	débarrasser
balayer	passer	passer	ranger	épousseter
vider	repasser	étendre	arroser	

13
Le restaurant

1. **Remettez en ordre les actions suivantes.**

a. Regarder la carte. ☐
b. Laisser un pourboire. ☐
c. Prendre un dessert. ☐
d. Payer l'addition. ☐
e. Réserver une table. ☐
f. Décider d'aller dîner au restaurant. 1
g. Quitter le restaurant. ☐
h. Choisir une entrée. ☐
i. Aller au restaurant. ☐
j. S'asseoir. ☐
k. Commander les plats. ☐
l. Demander l'addition. ☐

2. **Classez ces mots dans le tableau.**

un bœuf bourguignon · une crème caramel · une carafe d'eau · une salade de crabe · une omelette
un lapin à la moutarde · une tarte au citron · un jus de fruit · un pichet de vin · un apéritif
une soupe de poisson · un poulet à la crème · une glace à la fraise

Boissons	*Entrées*	*Plats de résistance*	*Desserts*
....	....	....	....
....	....	....	....
....	....	....	....
....	....	....	....
....	....	....	....

3. Reliez le nom et son complément.

1. une tasse
2. un morceau
3. une tranche
4. un pichet
5. une part
6. une carafe
7. une sauce

a. d'eau
b. de vin
c. de sucre
d. de jambon
e. de thé
f. de pain
g. au roquefort
h. de gâteau

4. Lisez les phrases suivantes et choisissez dans le menu ce qui convient à chacun.

1. Jean aime les plats épicés. [f]
2. Valérie veut une entrée froide. [ ]
3. Georges aime les plats en sauce. [ ]
4. Virginie préfère les légumes. [ ]
5. Christian ne doit pas manger de sucre. Que prendra-t-il en fin de repas ? [ ]

Menu

Entrées

a. *Soupe à l'oignon*
ou
b. *Champignons frits*
ou
c. *Salade de tomates*

Plats du jour

d. *Coq au vin*
ou
e. *Gratin de chou-fleur*
ou
f. *Poulet au piment*

Fromage

g.

ou

Dessert

h. *Flan au caramel*
ou
i. *Fruit*

Boissons

Bières
Vins
Jus de fruits
Eaux minérales

14
Le supermarché

1. Utilisez les mots de la liste pour compléter le texte.

chariot	panneaux	rayons
liste	caisse	faire les courses

C'est samedi, c'est mon jour pour *(1)* .... J'ai souvent une *(2)* .... où j'ai noté tout ce qu'il me faut. Je prends un *(3)* .... pour mettre mes achats. Je regarde ensuite les *(4)* .... pour me diriger tout de suite vers les *(5)* .... qui m'intéressent. Lorsque j'ai fini, je me dirige vers la *(6)* .... pour payer.

caddy

2. Reliez les produits du supermarché à leur rayon.

1. des yaourts, du lait et du fromage	HYGIÈNE
2. des croissants, du pain et des gâteaux	ÉPICERIE
3. des haricots, des tomates et des bananes	LIBRAIRIE – PAPETERIE
4. du cidre, de l'eau et de la limonade	PRODUITS LAITIERS
5. du produit vaisselle, de la lessive et des éponges	PRODUITS D'ENTRETIEN
6. du savon, du dentifrice et du shampooing	FRUITS – LÉGUMES
7. des steacks, du jambon et des saucisses	CONFISERIE
8. des gâteaux secs, du chocolat et des bonbons	BOUCHERIE – CHARCUTERIE
9. du vinaigre, du sucre et de la farine	BOISSONS
10. des enveloppes, du papier et des magazines	BOULANGERIE

3. **Complétez le plan du supermarché à partir des indications suivantes :**

– le rayon de la *boucherie-charcuterie* se trouve en face des *fruits et légumes*,
– le rayon *boulangerie* est à côté du rayon *confiserie*,
– le rayon *produits d'entretien* est entre les rayons *boissons* et *boucherie-charcuterie*,
– le rayon *confiserie* se trouve près de l'entrée du magasin,
– le rayon *librairie-papeterie* est situé face à l'entrée.

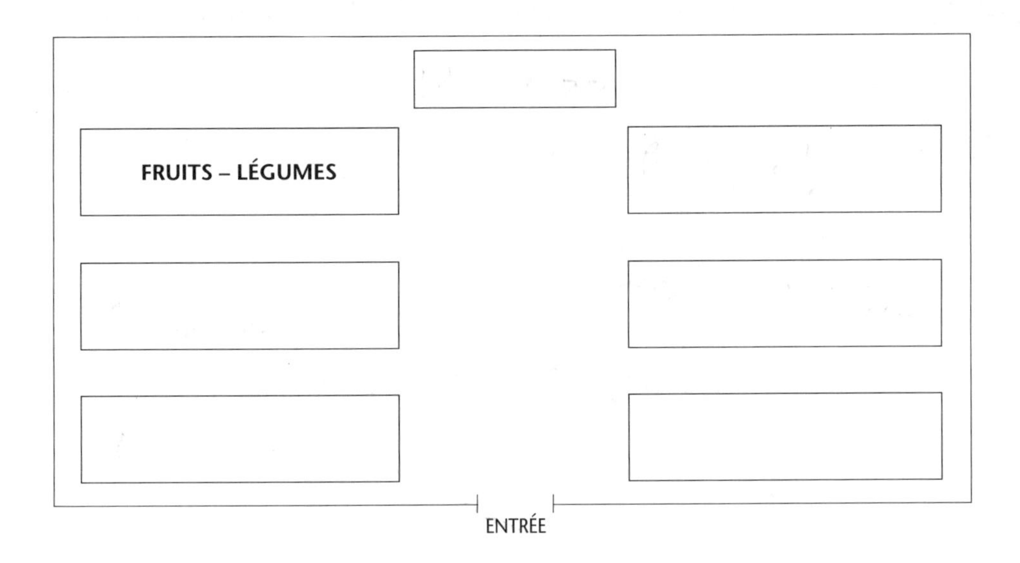

4. **Retrouvez les expressions correctes.**

1. un baril	**a.** de chips
2. une boîte	**b.** de lait
3. un tube	**c.** d'eau de toilette
4. une bouteille	**d.** de dentifrice
5. une «brique»	**e.** de lessive
6. une canette	**f.** de bonbons
7. un paquet	**g.** de crème
8. un sachet	**h.** de bière
9. un pot	**i.** de sardines
10. un flacon	**j.** de champagne

15
La poste

1. Complétez le texte. Pour chaque numéro, reportez-vous à la liste correspondante.

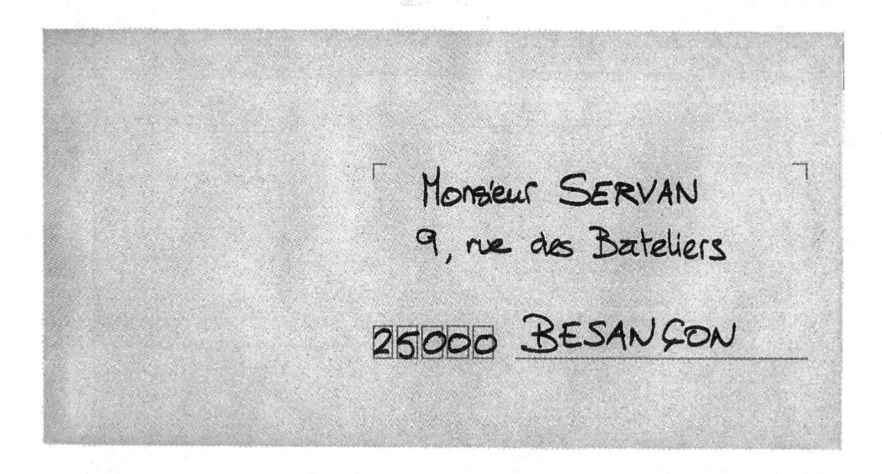

Voilà une *(1)* enveloppe mais il n'y a pas de *(2)* .... dessus. Le nom du *(3)* .... est écrit au-dessus de l' *(4)* .... Le *(5)* .... de la rue où habite Monsieur Servan est le 9. Besançon est le nom de la *(6)* .... et le *(7)* .... est 25000.

1. boîte	enveloppe	colis	sac
2. lettre	note	adresse	timbre
3. expéditeur	destinataire	voisin	postier
4. adresse	ville	endroit	code
5. code	nombre	numéro	chiffre
6. maison	quartier	ville	pays
7. numéro	combinaison	téléphone	code postal

2. Que peut-on faire à la poste ? Reliez. (Il y a plusieurs possibilités.)

1. Réceptionner	**a.** des timbres.
2. Encaisser	**b.** une lettre recommandée.
3. Ouvrir	**c.** un chèque.
4. Retirer	**d.** un compte.
5. Acheter	**e.** un mandat.
6. Téléphoner	**f.** de l'argent.
7. Envoyer	**g.** un colis.
8. Recevoir	**h.** à un correspondant.

3. Associez chacune des phrases au dessin correspondant.

1. Au guichet, l'expéditeur envoie le colis.
2. Le facteur distribue le courrier.
3. Il existe deux tarifs : un rapide, un normal.
4. On vend le plus souvent les timbres par carnet de dix.
5. Le destinataire reçoit le colis.
6. En France, les boîtes aux lettres sont jaunes.

a

b

c

d

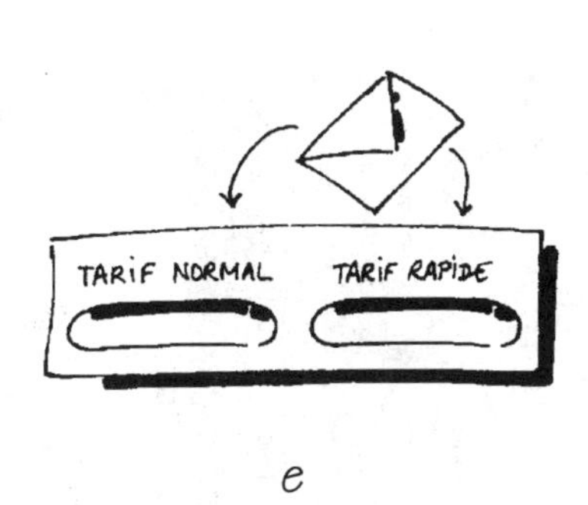

e

f

4. Mettez ces actions dans l'ordre.

Pour envoyer un colis, il faut :

a. Faire peser le colis par le postier. ☐
b. Fermer le colis. ☐
c. Affranchir* en fonction du poids. ☐
d. Bien emballer l'objet, surtout s'il est fragile. [1]
e. Placer l'objet dans l'emballage. ☐
f. Acheter un emballage. ☐

*Affranchir une lettre, un paquet : mettre les timbres-poste.

16
L'entreprise

1. **Associez les définitions soulignées aux termes suivants :**

COMMERCE | PERSONNEL | PRODUCTION | FINANCE

Une entreprise, grâce à un ensemble de personnes employées à différents niveaux *(1)* produit des biens matériels et assure des services *(2)*, achète ou vend des marchandises *(3)* en gérant ses dépenses et ses recettes *(4)*.

2. **Voici le bureau d'un directeur commercial. Regardez le dessin et associez les mots en italique dans le texte aux numéros correspondants.**

Le directeur possède un long *bureau ( )*. Il a un *ordinateur ( )* pour gérer ses commandes. Le long du mur se trouve toute une série de *placards ( )* pour ranger ses *dossiers ( )*. *La secrétaire ( )* lui apporte son *courrier ( )* tous les matins. Bien entendu, un *fax ( )* est indispensable pour donner ou recevoir des informations rapidement.

3. Dans les paires de mots suivantes, entourez le plus haut grade.

Exemple : P.-D.G. / employé

1. mousse / capitaine
2. interne / chef de clinique
3. maître d'hôtel / garçon
4. maîtresse de maison / domestique
5. mitron / patron boulanger
6. entrepreneur / maçon

4. Reliez la question à la réponse.

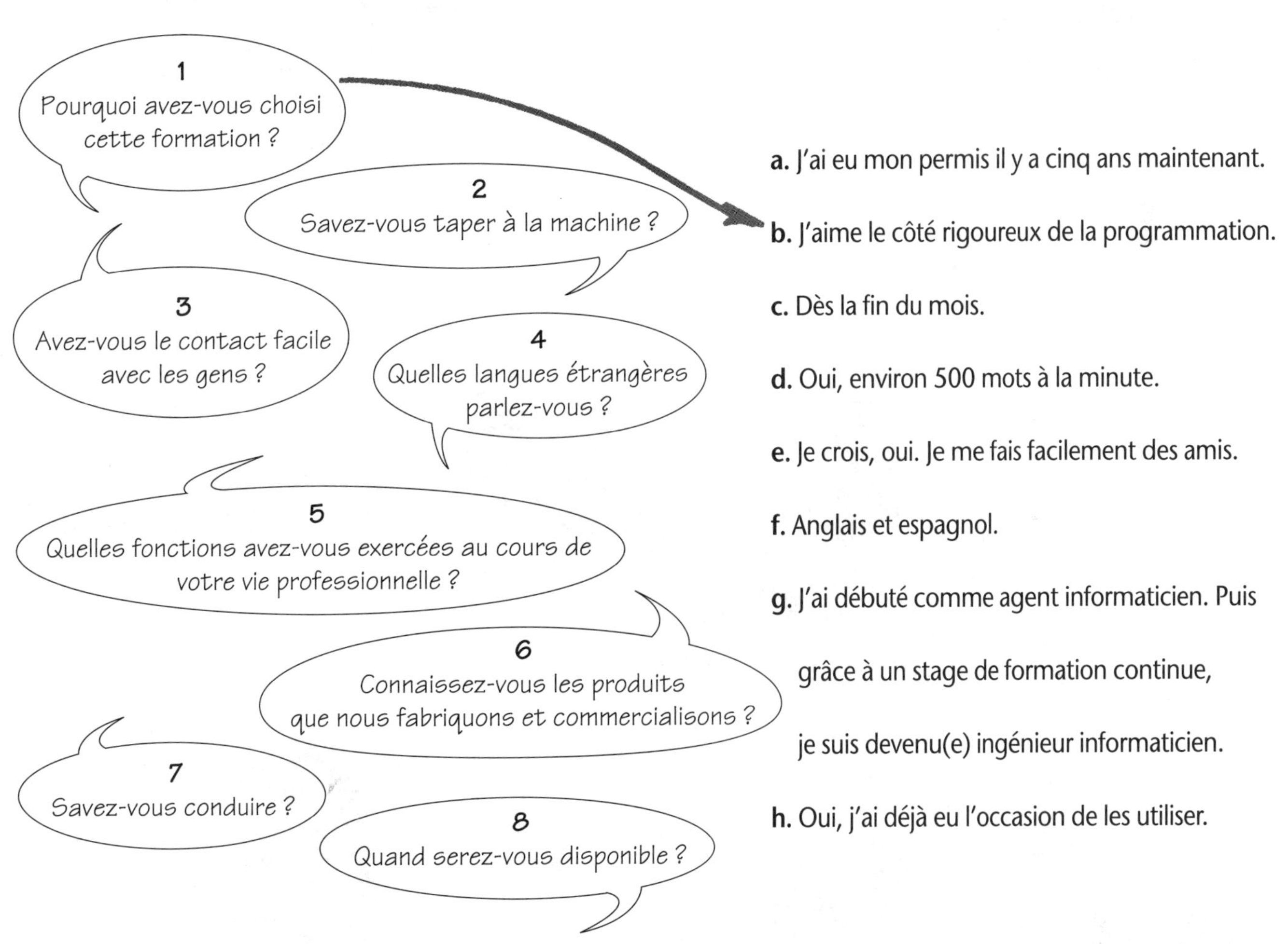

1
Pourquoi avez-vous choisi cette formation ?
2
Savez-vous taper à la machine ?
3
Avez-vous le contact facile avec les gens ?
4
Quelles langues étrangères parlez-vous ?
5
Quelles fonctions avez-vous exercées au cours de votre vie professionnelle ?
6
Connaissez-vous les produits que nous fabriquons et commercialisons ?
7
Savez-vous conduire ?
8
Quand serez-vous disponible ?

a. J'ai eu mon permis il y a cinq ans maintenant.

b. J'aime le côté rigoureux de la programmation.

c. Dès la fin du mois.

d. Oui, environ 500 mots à la minute.

e. Je crois, oui. Je me fais facilement des amis.

f. Anglais et espagnol.

g. J'ai débuté comme agent informaticien. Puis grâce à un stage de formation continue, je suis devenu(e) ingénieur informaticien.

h. Oui, j'ai déjà eu l'occasion de les utiliser.

5. Remettez dans l'ordre les différentes actions pour la recherche d'un emploi.

a. Passer un entretien. ☐
b. Rédiger une lettre de candidature. ☐
c. Lire les petites annonces. ☐
d. Envoyer son curriculum vitae et sa lettre de candidature. ☐

17
Les vacances

1. **Faites correspondre les dessins et les styles de vacances.**

a b c d e f

1. La France en roulotte	**3.** Camping dans le maquis corse	**5.** Le club vacances à La Baule
2. La Seine en péniche	**4.** Randonnées dans les Alpes	**6.** Découvrir les châteaux de la Loire

2. **Joséphine, Daniel, Marc et Florence vont partir en vacances. Quels sont les deux objets que vous leur conseillez d'emporter ?**

1. Joséphine part faire de la randonnée. ⟶ ....

2. Daniel a loué un voilier. ⟶ ....

3. Marc va faire du ski. ⟶ ....

4. Florence a échangé son appartement de Paris contre une villa au bord de la mer. ⟶ ....

....

ciré	parasol	sac à dos	chaussures de marche
bonnet	jeu de plage	paire de skis	carte de navigation

3. **Que faut-il faire avant de partir en vacances à l'étranger ?**

1. Faire faire	**a.** sur le pays.
2. Obtenir	**b.** la langue.
3. Confirmer	**c.** son vol.
4. Apprendre	**d.** des chèques de voyage.
5. Changer	**e.** une carte de crédit internationale.
6. Posséder	**f.** sur les différentes vaccinations obligatoires.
7. Demander	**g.** un passeport.
8. S'informer	**h.** un visa.
9. Se documenter	**i.** de l'argent.

4. **Catherine, Pierre et Dominique veulent partir en vacances. Conseillez-les. (Aidez-vous des propositions de l'exercice 1).**

Catherine : «J'aime partir à la découverte. Et j'adore m'occuper des chevaux.»
Pierre : «J'aimerais beaucoup visiter les monuments que j'ai étudiés cette année en histoire de l'art.»
Dominique : «Je n'aime pas partir seule, j'aime rencontrer des gens, danser, m'amuser. Peu m'importe l'endroit pourvu que tout soit organisé !»

Pour Catherine, je conseillerais : ....

Pour Pierre : ....

Pour Dominique : ....

18
Les loisirs

1. À quel endroit iriez-vous pour :

1. manger une spécialité ? ⟶ *Au restaurant.*
2. boire un verre de bière ? ⟶ ....
3. danser ? ⟶ ....
4. voir des animaux sauvages ? ⟶ ....
5. admirer des œuvres d'art ? ⟶ ....
6. assister à une pièce de théâtre ? ⟶ ....
7. voir un film ? ⟶ ....
8. jouer de l'argent ? ⟶ ....
9. assister à un match (football ou rugby) ? ⟶ ....
10. faire du patin à glace ? ⟶ ....

au cinéma	au restaurant	au théâtre	au parc zoologique (zoo)	au musée
au stade	à la patinoire	dans un bar	dans une discothèque	au casino

2. Parmi les trois propositions, entourez celle qui convient pour chaque phrase.

1. Il y avait seulement un acteur sur ..la scène.. quand la pièce a commencé.
   a. la scène **b.** le podium **c.** les gradins
2. Je me demande qui a peint .... pour cette pièce ?
   a. le paysage **b.** l'endroit **c.** le décor
3. Est-ce que les ouvreuses vendent des glaces pendant .... ?
   a. l'arrêt **b.** la mi-temps **c.** l'entracte
4. Si tu veux aller voir ce film, il y a une .... à 19 heures.
   a. série **b.** séance **c.** émission
5. Est-ce que Mozart est au .... du concert ?
   a. programme **b.** menu **c.** emploi du temps
6. Si tu veux vraiment aller voir cette pièce, il faut réserver dès maintenant deux ....
   a. chaises **b.** billets **c.** places

7. Au cinéma, il y a quelquefois une .... qui prend nos billets et nous indique les places libres.

a. portière **b.** ouvreuse **c.** hôtesse

8. À Paris, on peut payer moins cher une place de théâtre si on va ....

a. le 1er janvier. **b.** pour la première fois. **c.** à la première*.

* Le premier soir où la pièce se joue.

3. Quel est leur loisir préféré ? Reliez.

1. Mathilde aime créer de ses mains.
2. Jennifer dévore les romans policiers.
3. Marc se passionne pour l'Antiquité.
4. Joëlle est cinéphile.
5. Florence aime garder des souvenirs des bons moments.
6. Frédéric aime se dépenser.
7. Christian est un fin gourmet.
8. Géraldine aime la nature.
9. Francine adore danser.
10. David va très souvent écouter des concerts.

a. la lecture
b. le cinéma
c. les promenades en forêt
d. le sport
f. les musées
e. la musique
g. la discothèque
h. la poterie
i. la cuisine/aller au restaurant
j. la photographie

4. Associez les dessins et les phrases de l'exercice 3.

19
Ville ou campagne ?

1. **Pour chacun des mot suivants, dites quels sont ceux associés à la ville (V) et ceux associés à la campagne (C).**

1. rue	V	**5.** passage piétons	☐	**9.** feu tricolore	☐
2. pique-nique	C	**6.** cabine téléphonique	☐	**10.** magasins	☐
3. route	☐	**7.** colline	☐	**11.** chemin	☐
4. ruisseau	☐	**8.** champ	☐	**12.** trottoir	☐

2. **Retrouvez les mots de l'exercice 1 dans les illustrations suivantes.**

3. Classez les habitations suivantes selon qu'elles se trouvent en ville ou à la campagne.

ferme	résidence secondaire	appartement	H.L.M. (habitation à loyer modéré)
studio	maison de campagne	immeuble	chaumière

Ville	***Campagne***
....	....
....	....
....	....
....	....

4. Complétez les deux textes suivants.

Moi, j'aime la ville : quelle plaisir d'aller au (1) .... voir le dernier film sorti ! Je vais souvent voir des (2) .... Le nombre et la diversité des magasins permettent de faire du (3) .... Mais attention, pas le samedi après-midi : il y a trop de monde ! De plus, cette année, je me suis inscrite dans une très grande (4) .... où je peux faire ce que je veux : du yoga, de la danse ou de la musculation.

Ah ! Parlez-moi de la campagne : les (5) .... en forêt, en automne quand les feuilles sont multicolores, ramasser des (6) ...., cueillir des (7) .... pour faire des confitures. Et l'été, quoi de plus agréable que d'emporter le (8) .... et de s'installer au bord de l'eau ! Oui, vraiment, la campagne, en toute saison, c'est fantastique !

pique-nique	mûres	lèche-vitrines	exposition
cinéma	champignons	promenades	salle de sports

20
Le plan

1. **Observez le dessin A. Cherchez les différences dans le dessin B. Utilisez les prépositions suivantes :**

entre	dans	en face de	sous	au-dessus	sur

A

B

2. **Vous êtes au zoo, retrouvez la place de chacun des animaux.**

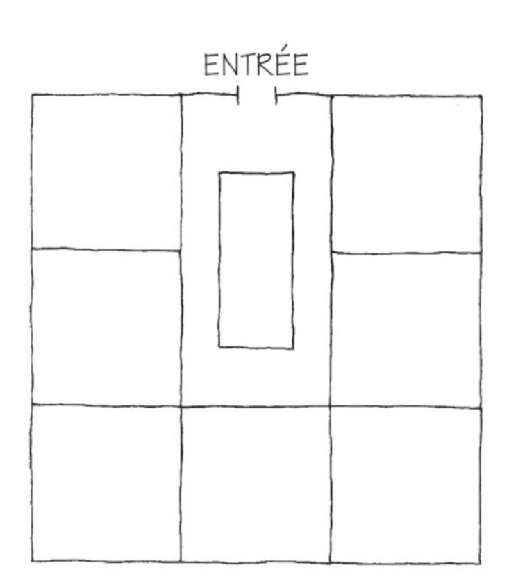

- Les **vautours** sont dans un coin.
- Les **singes** sont au milieu, en face de l'entrée.
- Les **lions** sont entre les **otaries** et les **girafes**.
- Les **girafes** sont à côté des **serpents**.
- Les **éléphants** sont entre les **vautours** et les **ours**.
- Les **otaries** sont à côté de l'entrée.
- Les **ours** sont à côté des **serpents**.

3. **À partir du plan et des indications suivantes, retrouvez le chiffre qui correspond à chaque bâtiment.**

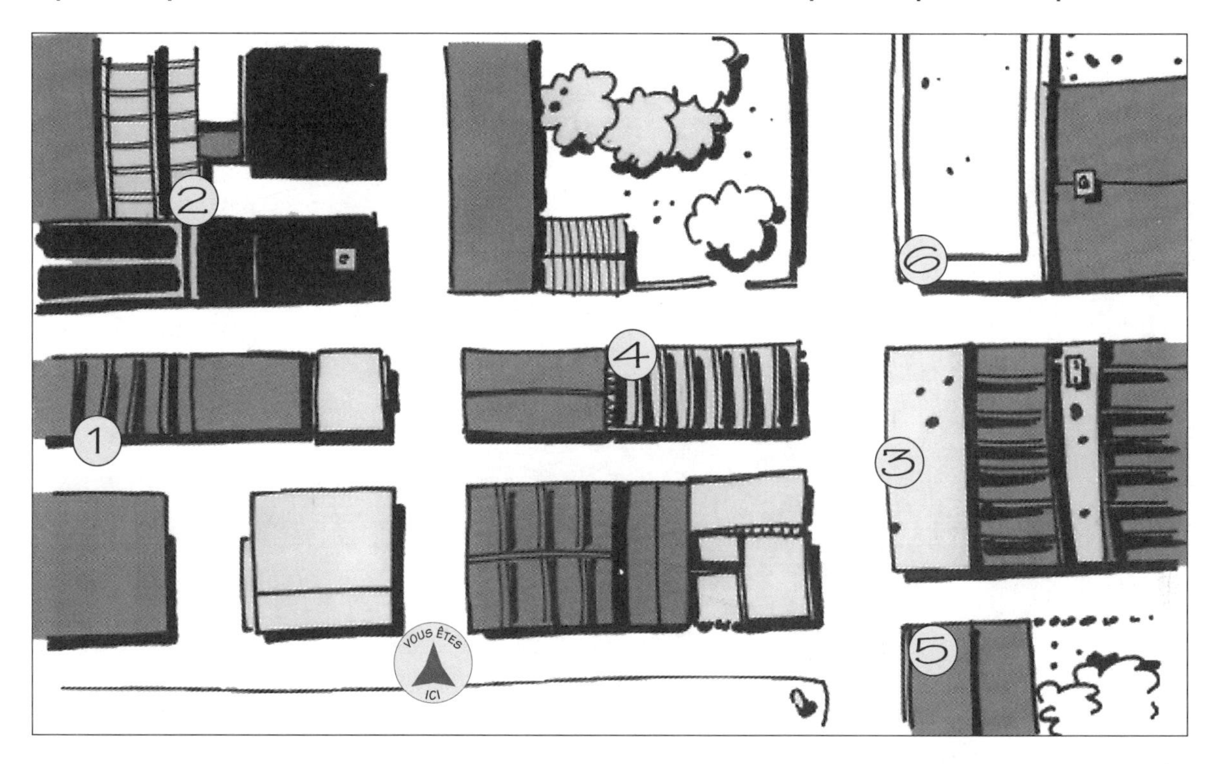

[4] Remontez la rue et prenez la deuxième à droite. Dans cette rue, sur votre droite, vous trouverez **le fleuriste**.

[ ] Continuez votre route et, au croisement, la boutique qui fait l'angle est **la charcuterie**.

[ ] Redescendez la rue et allez jusqu'au carrefour suivant. À l'angle, vous trouverez **la boucherie**.

[ ] Prenez la rue en face de vous, tournez à la deuxième à droite, puis prenez la première à gauche : le magasin sur votre droite est un grand **supermarché**.

[ ] Revenez sur vos pas pour prendre la première à gauche puis la deuxième à gauche. Au fond de l'impasse se trouve un très bon **restaurant**.

Et maintenant, à vous de donner les consignes pour aller au marché (3).

....

....

....

Les activités

21
Exercer un métier

1. **Associez les objets au métier qui leur correspond.**

1. l'infirmière
2. le peintre
3. la concierge
4. l'hôtesse de l'air
5. le journaliste
6. le jardinier
7. le cuisinier
8. la secrétaire

a

b

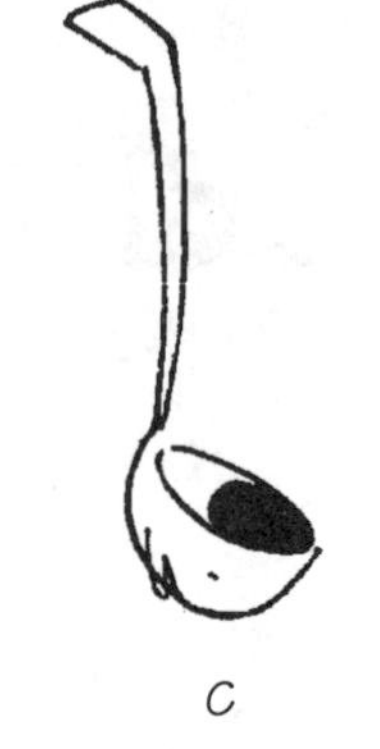

c

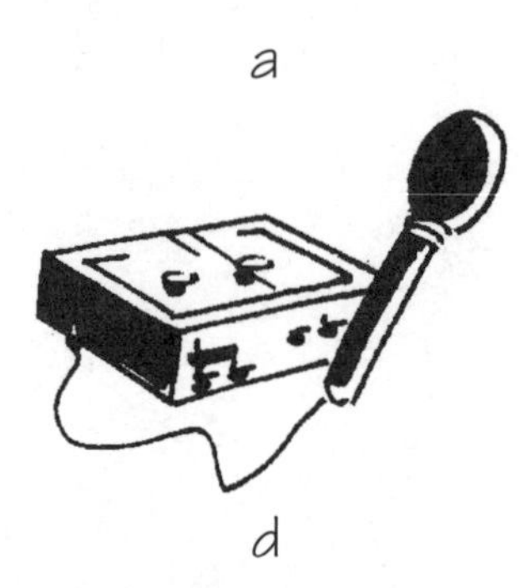

d

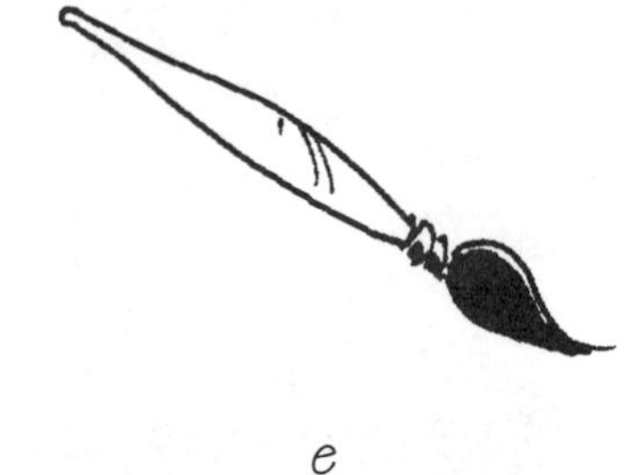

e

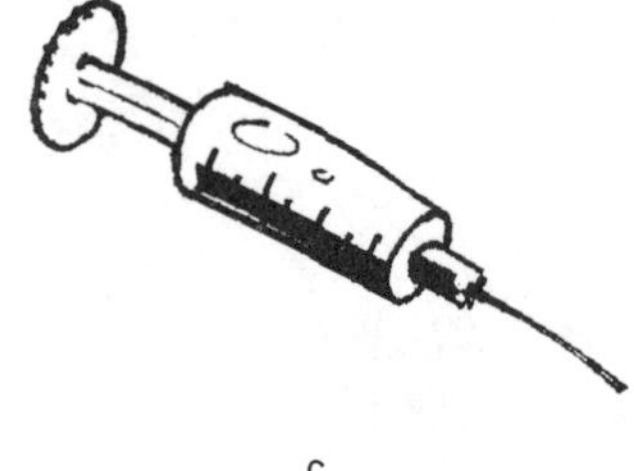

f

g

h

2. **Complétez le tableau avec les mots de la liste.**

directeur	infirmière	peintre	fleuriste	cuisinière	acteur	infirmier	professeur
concierge	directrice	journaliste	serveuse	libraire	serveur	cuisinier	actrice

Homme et femme	*Homme*	*Femme*
....	....	....
....	....	....
....	....	....
....	....	....
....	....	....
....	....	....

3. Complétez le texte avec le nom de métier qui convient (voir le tableau de l'exercice 2).

1. C'est un .... remarquable ! Quelle présence sur scène !
2. Le métier de .... est fatigant : toujours être debout et aimable avec les clients.
3. Picasso est le .... qui est à l'origine du cubisme.
4. «Je veux absolument lire le dernier de Paul Auster ; je vais de ce pas chez mon .... !»
5. «J'ai de la chance, c'est ma .... qui arrose mes plantes quand je suis absente.»
6. Ce .... a une chaire à la Sorbonne ; il enseigne la littérature classique.

4. Où pourriez-vous entendre ces phrases ?

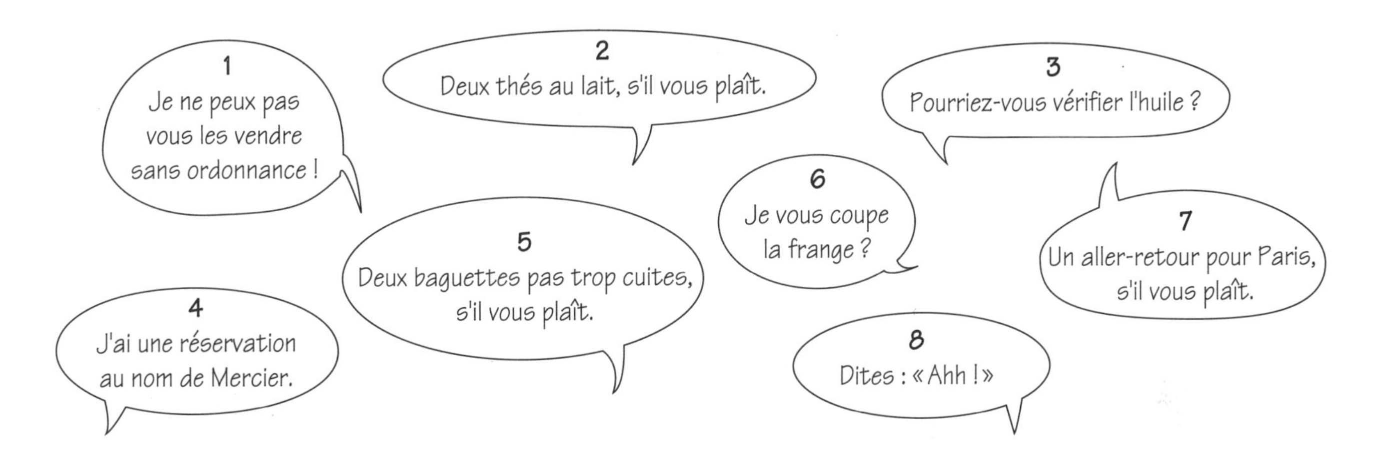
1
Je ne peux pas vous les vendre sans ordonnance !
2
Deux thés au lait, s'il vous plaît.
3
Pourriez-vous vérifier l'huile ?
4
J'ai une réservation au nom de Mercier.
5
Deux baguettes pas trop cuites, s'il vous plaît.
6
Je vous coupe la frange ?
7
Un aller-retour pour Paris, s'il vous plaît.
8
Dites : « Ahh ! »

au café	dans un salon de coiffure	à la boulangerie	à la pharmacie
à l'hôtel	dans un cabinet médical	dans une station-service	à la gare

5. ÉNIGME

Messieurs Fraisse, Dupont, Martin et Gros sont voisins. Trois d'entre eux sont mariés. L'un des quatre est dentiste, l'un est professeur, un troisième est journaliste. Monsieur Gros n'est ni professeur, ni journaliste mais il est marié. Monsieur Fraisse n'est ni dentiste, ni ingénieur mais célibataire. Madame Martin est infirmière mais son mari n'est ni journaliste, ni dentiste. Monsieur Dupont n'est ni ingénieur, ni journaliste. La femme de Monsieur Gros est journaliste alors que le dentiste a une femme professeur.

1. Quel est le nom de la femme professeur ?

2. Quel est le métier du célibataire ?

3. Quel est le métier de Monsieur Dupont ?

22
Faire du sport

1. 

Associez chaque liste de mots au sport concerné.

1. selle, roue, guidon, pédaler
2. table, balle, filet, raquette
3. obstacle, selle, cheval, galoper
4. arbitre, but, équipe, penalty
5. bâton, slalom, glisser, godille
6. vent, foc, régate, virer de bord
7. ligne d'eau, plot, brasse, plonger

a – équitation

b – ski

c – natation

d – cyclisme

e – tennis de table

f – football

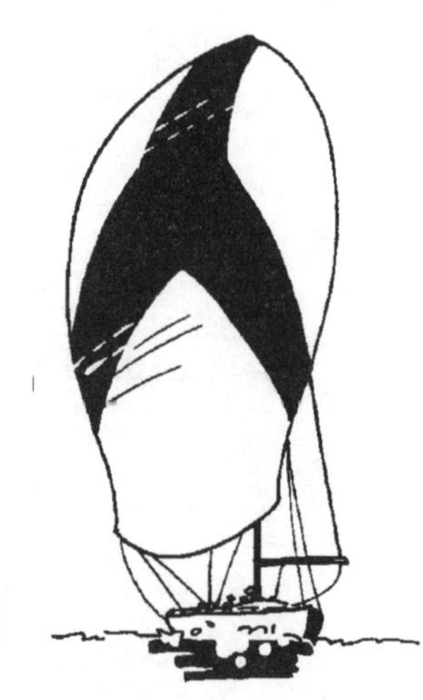

g – voile

2. **Complétez ce texte en choisissant un des trois mots de chaque liste.**

1. engagement / service / départ
2. panier / but / filet
3. concurrent / adversaire / ennemi
4. raquette / crosse / club
5. contrôleur / arbitre / inspecteur
6. court / bassin / stade
7. badauds / témoins / spectateurs

Le premier joueur a un *(1)* ...service... remarquable. La première balle passe très légèrement au-dessus du *(2)* .... et ne peut être renvoyée par son *(3)* .... Celui-ci, furieux, jette sa *(4)* .... par terre. L' *(5)* .... le fait sortir du *(6)* .... Les *(7)* .... se mettent aussitôt à siffler et à crier.

3. Reliez le sport avec le lieu où il se pratique.

1. la natation	**a.** au gymnase
2. l'équitation	**b.** sur un stade
3. la gymnastique	**c.** sur un court
4. l'athlétisme	**d.** dans une piscine
5. la boxe	**e.** sur le tatami
6. le tennis	**f.** sur un terrain
7. le football	**g.** sur un ring
8. le judo	**h.** dans un manège

4. Remettez les actions dans l'ordre en vous aidant des illustrations.

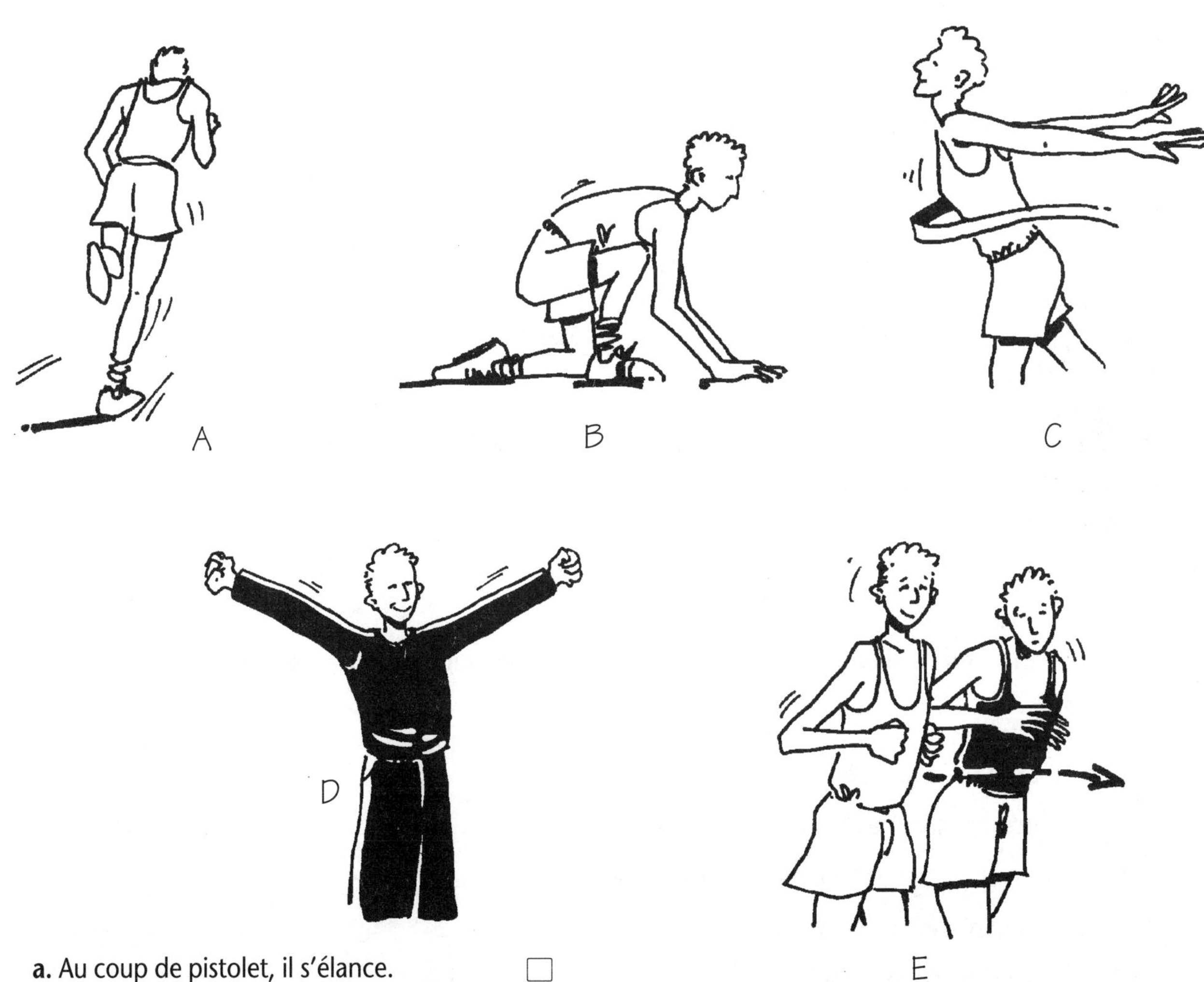

a. Au coup de pistolet, il s'élance. ☐
b. Il se met en position de départ, immobile. ☐
c. Il franchit la ligne d'arrivée. ☐
d. L'athlète s'échauffe. ☐
e. Il dépasse ses adversaires. ☐

23
Payer

1. Choisissez la bonne réponse.

1. Raymond a 128 francs d'achats à régler. Il donne un billet de 200 francs. Combien lui rendra-t-on ?

a. 100 F | 10 F | 10 F | 5 F | 2 F | 1 F

b. 50 F | 20 F | 1 F | 1 F

c. 20 F | 20 F | 2 F | 10 F

2. Vous achetez un pull-over à 338 francs. Faites l'appoint.

a. 200 F | 100 F | 20 F | 10 F | 5 F | 1 F | 1 F | 1 F

b. 500 F | 10 F | 10 F | 10 F | 5 F | 2 F | 2 F

c. 200 F | 200 F | 100 F | 20 F | 20 F

3. Vous faites un chèque de 470 francs. Quelle somme écrirez-vous sur le chèque ?

a. quatre cent dix-sept francs
b. quarante-sept francs
c. quatre cent soixante-dix francs

2. De quoi parle-t-on ? Reliez les informations suivantes au(x) mode(s) de paiement qui correspond(ent).

1. Il y a un code.
2. Le nom de la banque est écrit dessus.
3. On doit écrire la somme d'argent en chiffres et en lettres.
4. On peut, avec, retirer de l'argent au distributeur.
5. Il y a un côté pile et un côté face.
6. Il y a un numéro de compte.
7. Il faut souvent dépenser plus de 100 francs pour pouvoir payer avec.
8. C'est utile pour payer des petites sommes.
9. Des têtes d'hommes célèbres sont imprimées dessus.

a. CARTE BLEUE
b. CHÈQUE
c. ESPÈCES

3. **Les mots de la liste appartiennent au vocabulaire de la banque et de l'argent. Ils ont aussi d'autres sens. Dans les phrases ci-dessous entourez le mot en italique quand il se rapporte à la banque et à l'argent.**

coupures billet bourse compte liquide espèces pièce

1. Cette *pièce* de théâtre était formidable.
2. Il tient ferme les cordons de sa *bourse* !
3. Il lui a rendu la somme en petites *coupures*.
4. Darwin s'est interrogé sur l'origine et l'évolution des *espèces*.
5. Il lui a fait parvenir un *billet* doux.
6. Il a déposé sur son *compte* plusieurs millions.
7. Est-ce que tu peux m'offrir un café ? Je n'ai pas de *liquide* sur moi.
8. La nouvelle *pièce* sort bientôt. Sur le côté pile on verra le Mont-Saint-Michel.
9. Peux-tu me donner un *billet* en échange de cinq *pièces* ?
10. La congélation fait passer l'eau de l'état *liquide* à l'état solide.
11. Il a joué avec un couteau. Résultat : il s'est fait une *coupure* au doigt.
12. Ces valeurs sont très cotées en *Bourse*.

4. **Vous voulez retirer de l'argent au distributeur. Remettez les actions dans l'ordre.**

a. Retirez votre carte. ☐
b. Indiquez la somme choisie. ☐
c. Prenez vos billets. ☐
d. Introduisez votre carte. ☐
e. Patientez. ☐
f. Faites votre code. ☐
g. N'oubliez pas votre ticket. ☐
h. Validez. ☐

24 Correspondre

1. **Pour écrire une lettre, il faut respecter certaines règles. Associez les numéros aux noms de la liste.**

(1) Anna Silbeding
Ottolaan 32
Emmen
Pays-Bas

(3) Emmen le 3 décembre 1994

(2) Ambassade de France
Smidsplein 1
Amsterdam

(4) Objet : demande de dossier de pré-inscription dans une université française.

Monsieur,

J'étudie le français depuis 5 ans et le parle assez bien et j'ai l'intention de passer 2 ou 3 ans dans une université française.

Auriez-vous donc l'amabilité de bien vouloir m'envoyer à l'adresse ci-dessus un dossier de pré-inscription ainsi que la liste des Départements de Lettres de Paris et de la région parisienne ?

En vous remerciant par avance, je vous prie d'agréer, Monsieur, mes meilleures salutations. (5)

Anna Silbeding (6)

a. la signature

b. les nom, prénom, adresse et numéro de téléphone de l'expéditeur

c. l'objet de la lettre

d. la formule de politesse

e. le lieu et la date

f. le nom et les coordonnées du destinataire

2. **Pourquoi écrit-on ? On écrit pour :**

1. demander →	**a.** une petite annonce.
2. proposer	**b.** un acte d'état civil.
3. envoyer	**c.** ses amis ou relations.
4. excuser	**d.** ses vœux.
5. passer	**e.** l'absence de son enfant (à l'école).
6. inviter	**f.** sa candidature.

3. Retrouvez les extraits de lettre qui correspondent aux thèmes de l'exercice 2.

A

Madame, Monsieur,
Je vous prie de bien vouloir excuser mon fils pour son absence de jeudi dernier...

B

Suite à l'annonce parue lundi 4 juin dans La Tribune, je me permets de vous adresser mon curriculum vitae.

C

Vds cse départ parfait état, cuis. ts gaz 600F, congél. 500F, buffet 500F. T. 42 62 97 07 ap. 19h.

F

Je vous adresse mes meilleurs vœux pour cette nouvelle année...

E

Je vous serais obligé de m'adresser un extrait d'acte de naissance.

D

C'est lundi l'anniversaire de Marc. On t'attend à partir de 20 heures pour fêter cela ensemble.

4. À qui sont destinées les lettres de l'exercice 3 ? Mettez-les dans les bonnes enveloppes.

1
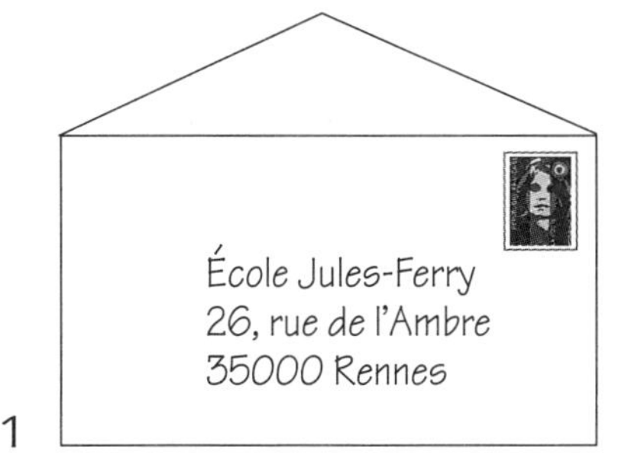

École Jules-Ferry
26, rue de l'Ambre
35000 Rennes

2

Catherine Doran
5, rue de l'Abreuvoir
92500 Boulogne

3

PARIS PANAME
Service Annonces
46, avenue Daumesnil
75012 Paris

4

Société Filero
Service du personnel
45, avenue du Maine
75014 Paris

5

Mairie du 15e arrondissement
Place Chérioux
75015 Paris

6
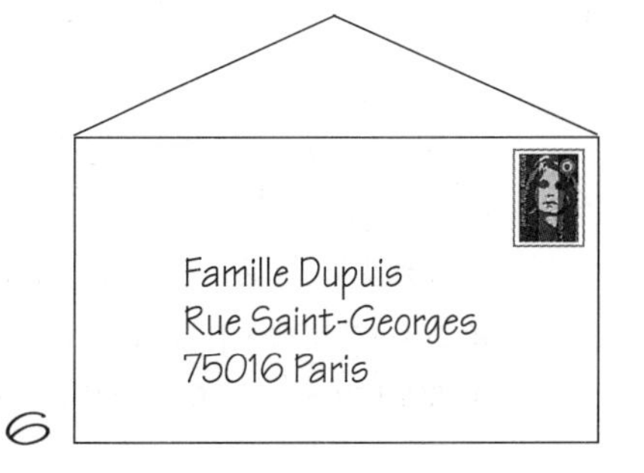

25
Jouer

1. Associez le dessin à une des étapes de la liste.

a

b

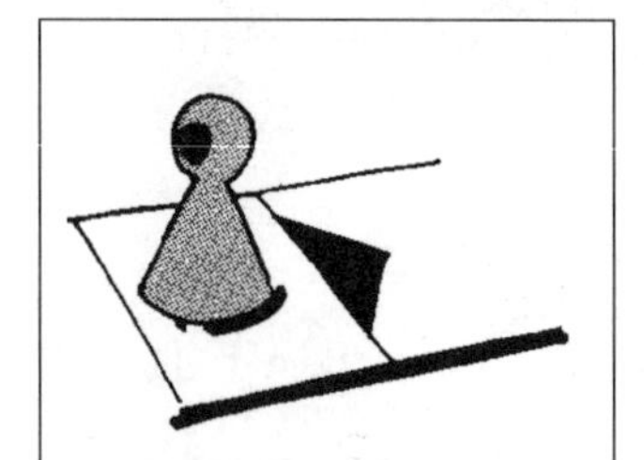
c

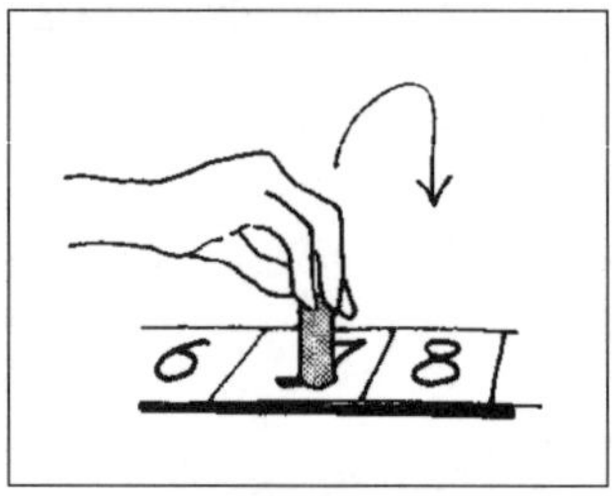

d

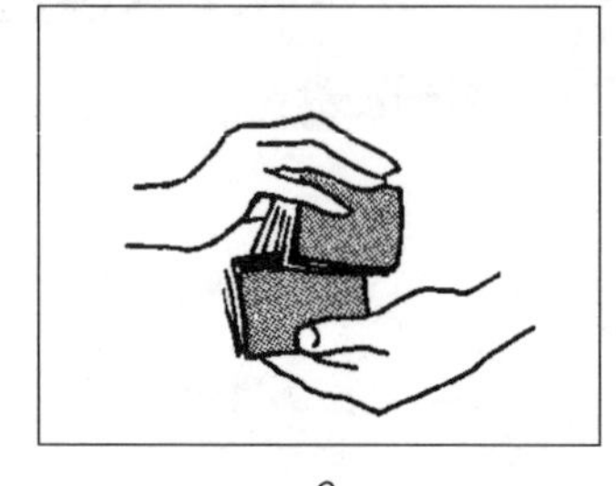
e

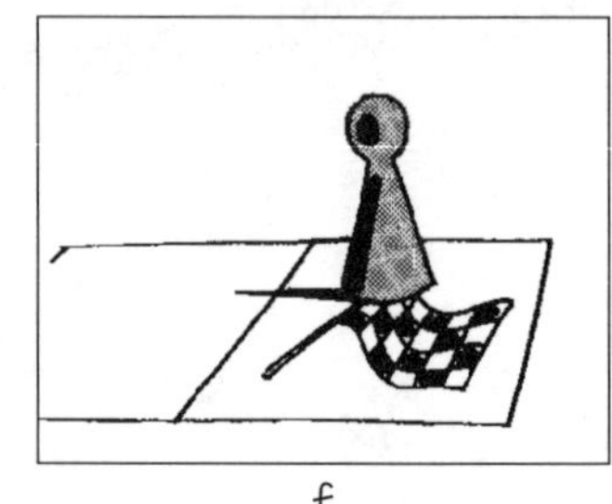
f

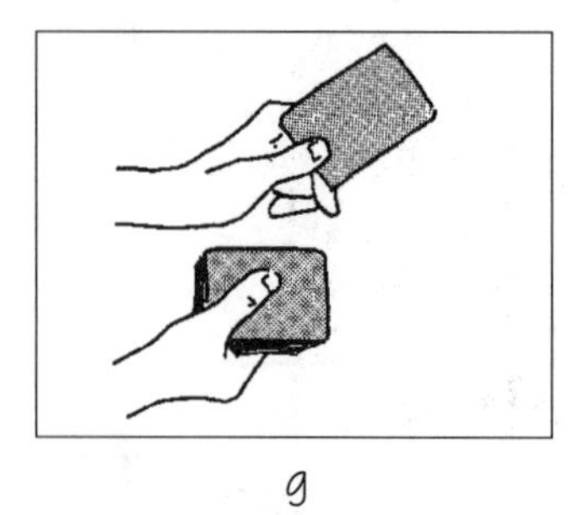
g

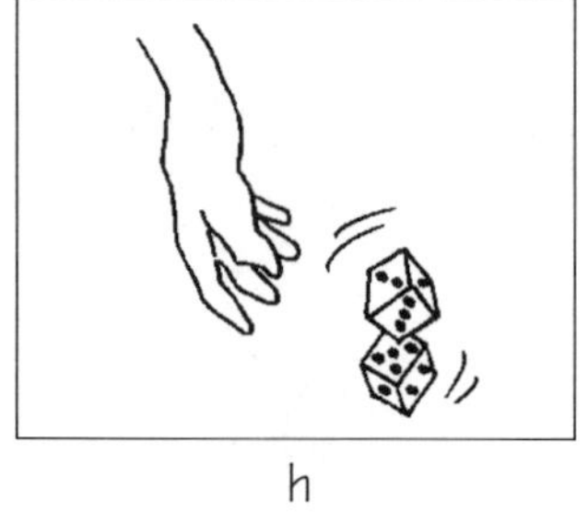
h

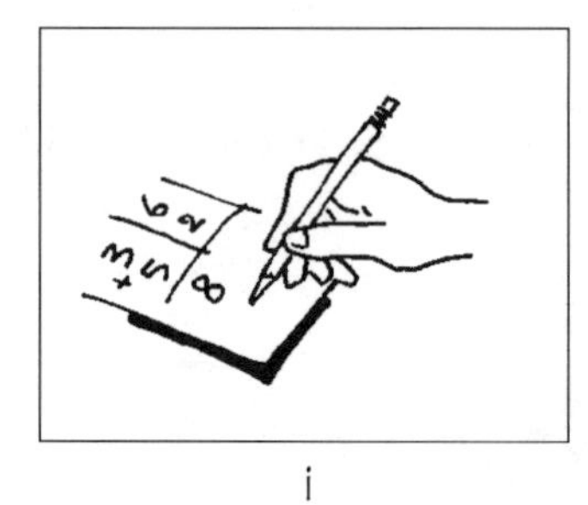
i

j

avancer d'une case	reculer d'une case	lancer les dés	distribuer les cartes
battre les cartes	être sur la case Départ	la case Arrivée	compter les points
passer un tour	piocher		

2. Barrez l'intrus.

1. cœur – carré – pique – carreau – trèfle
2. roi – dame – pique – valet – as
3. couper – battre – distribuer – découper

3. RÈGLE DU JEU DE L'HOMME NOIR

• *Nombre de joueurs :* 4 à 8. Chacun joue pour soi.

• *Matériel :* un jeu de 32 cartes.

À ce jeu, pas de gagnants, mais un **perdant** *(1)* : celui qui reste avec le valet noir en main.

• *Distribution :* ôter du jeu tous les **valets** *(2)* sauf le valet de **pique** *(3)*. C'est «l'homme noir». Distribuer toutes les cartes.

• *Déroulement du jeu :* chacun sort de son jeu toutes les **paires** *(4)* qu'il peut former (deux as, deux rois, etc.). Le premier joueur assis à la droite du donneur présente ses cartes en **éventail** *(5)*, **valeurs cachées** *(6)*, à son **voisin** *(7)* qui en tire une. Si elle forme une paire avec une carte de son jeu, il la pose sur la table. Sinon, il la glisse dans son jeu qu'il présente à son tour à son voisin. Toutes les cartes s'éliminent ainsi, sauf «l'homme noir». Le joueur qui reste avec le valet de pique est le perdant.

Entourez les dessins qui illustrent les mots en gras dans le texte.

4. Mettez dans l'ordre les consignes du jeu :

a. Faire des paires et les sortir du jeu. ☐

b. Sortir les valets sauf le valet de pique. ☐

c. Distribuer toutes les cartes. ☐

d. Tirer une carte à tour de rôle dans le jeu de son voisin de droite pour constituer d'autres paires. ☐

26
Compter

1. Quel nombre est-ce ? Entourez la bonne réponse.

1. dix-sept	**a.** 107	**b.** 71	c. 17
2. mille vingt	**a.** 1 000 20	**b.** 1 020	c. 1 200
3. trois millions	**a.** 30 000	**b.** 300 000	c. 3 000 000
4. six cent vingt-quatre	**a.** 426	**b.** 60 024	c. 624
5. soixante-dix	**a.** 70	**b.** 17	c. 6 010
6. deux mille trois cent cinq	**a.** 231 005	**b.** 2 305	c. 235

2. À l'aide de la liste, retrouvez les nombres qui manquent.

1. Les .... saisons.
2. Les .... muses.
3. Les .... doigts de la main.
4. Les .... jours de la semaine.
5. .... à table, ça porte malheur !
6. Les .... travaux d'Hercule.
7. Les .... joueurs d'une équipe de football.
8. Les .... faces du dé.
9. Un triangle a .... côtés.
10. Deux pieds ont .... orteils.
11. Un siècle a .... ans.

trois quatre cinq six sept neuf dix onze douze treize cent

3. Reliez le signe mathématique au mot qui lui correspond.

1. $-$	**a.** une addition
2. $+$	**b.** un pourcentage
3. $\frac{2}{3}$	**c.** une fraction
4. $\sqrt{\ }$	**d.** une racine carrée
5. $\times$	**e.** une multiplication
6. %	**f.** une division
7. 5^2	**g.** une soustraction
8. :	**h.** une puissance

4. Faites correspondre les opérations en chiffres et celles en lettres.

1. Vingt moins treize égale sept.
2. Dix fois quatre égale quarante.
3. Huit multiplié par cinq égale quarante.
4. Dix-huit divisé par trois égale six.
5. Cinq plus trente égale trente-cinq.

a $8 \times 5 = 40$

b $18 : 3 = 6$ (reste 0)

c $10 \times 4 = 40$

d $20 - 13 = 7$

e $5 + 30 = 35$

5. Complétez le tableau.

Opération	*Signe*	*Résultat*	*Verbe*
1.	plus (+)		
2.	(–)		soustraire
3.	(x)	produit	
4. division	(:)		

multiplication	moins	soustraction	somme
quotient	addition	différence	additionner
multiplier	diviser	divisé par	fois ou multiplié par

6. Complétez le texte.

égale
divisé par
multiplié par
moins

1. mille deux cents .... trois cents égale quatre cents.
2. cinquante .... quatre égale deux cents.
3. vingt-trois fois sept .... cent soixante-et-un.
4. deux cent soixante-quinze .... cinq égale deux cent soixante-dix.

27
Cuisiner

1. Associez les dessins aux étapes de la liste.

Mélangez le sucre avec les œufs.

Beurrez un plat.

Faites fondre le beurre.

Cassez les œufs.

Coupez les pommes.

Versez la pâte dans le moule.

a b c

d e f

2. Quels sont ces ustensiles ?

un couteau-éplucheur	une cuillère en bois	un fouet	une poêle
une plaque électrique	un rouleau à pâtisserie	un couteau	un four

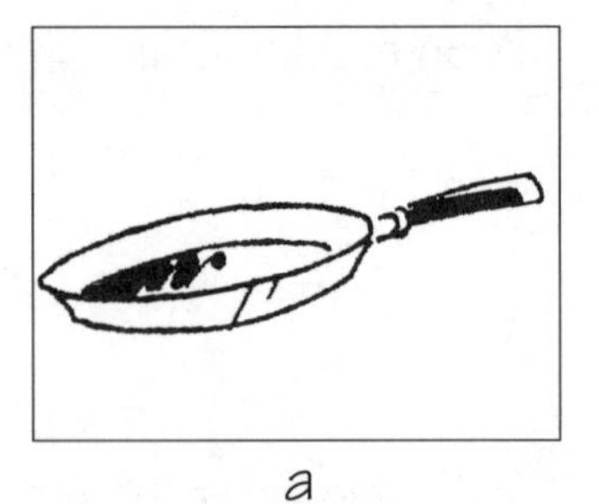
a

b

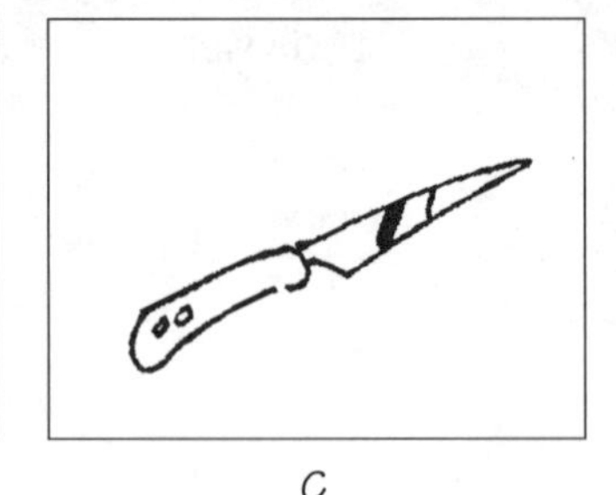
c

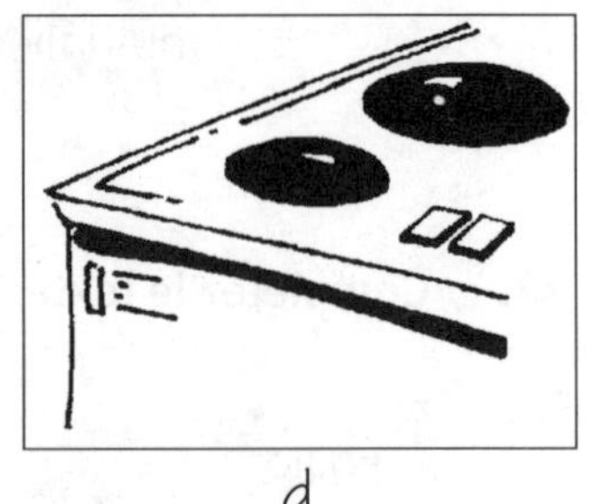
d

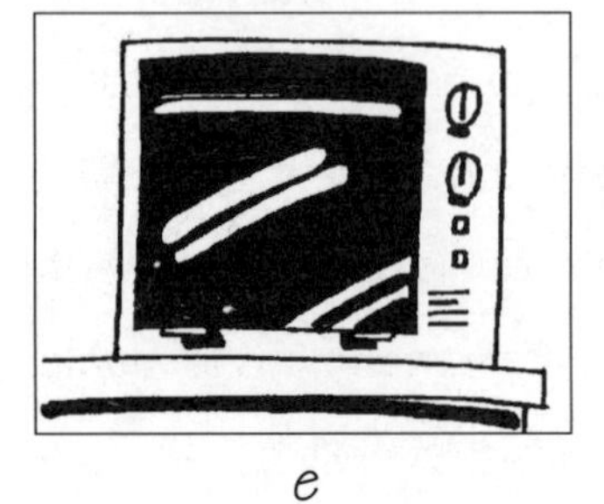
e

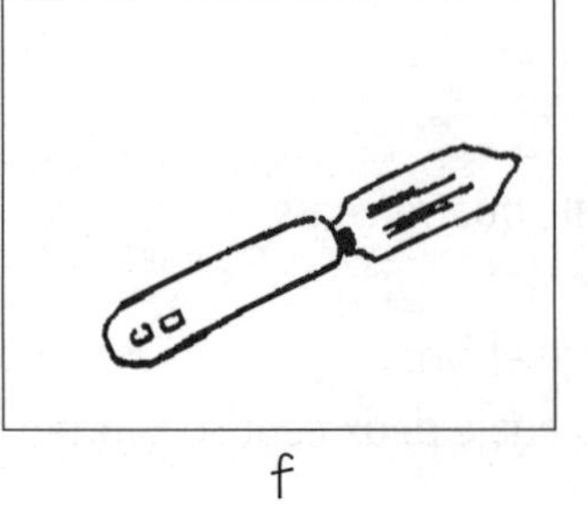
f

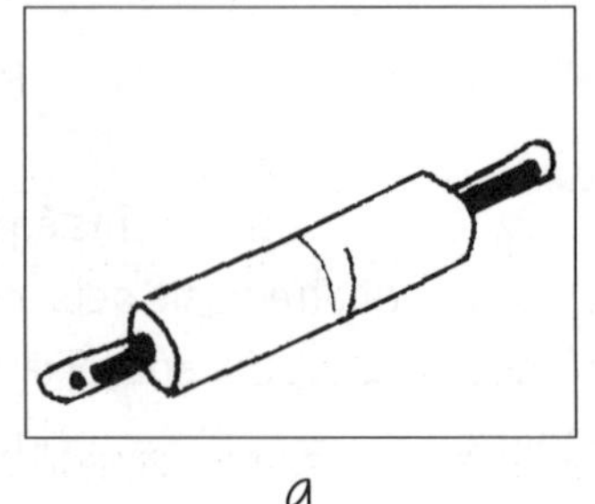
g

h

3. De quoi a-t-on besoin pour réaliser ces actions ?

1. Faire frire des aliments.	**a.** un couteau
2. Couper des légumes.	**b.** un fouet
3. Faire bouillir de l'eau.	**c.** une cuillère en bois
4. Battre des œufs en neige.	**d.** un couteau-éplucheur
5. Faire cuire un gâteau.	**e.** une poêle
6. Éplucher des légumes.	**f.** une plaque électrique
7. Mélanger des ingrédients.	**g.** un four
8. Étendre une pâte à tarte.	**h.** un rouleau à pâtisserie

4. Quels verbes employer ?

1. du beurre ....

2. de la viande ....

3. du lait ....

4. une tomate ....

5. du pain ....

6. un oignon ....

7. de la soupe ....

couper
verser
faire fondre
éplucher
hacher

5. Voici une recette : le gâteau au citron. Retrouvez les verbes correspondant aux numéros.

Pour 6 personnes

- 120 g de beurre
- 6 œufs
- 150 g de farine
- 75 g de sucre
- 1 cuillère à soupe de rhum
- 1 sachet de sucre vanillé
- 1 citron non traité

mélanger
fouetter
faire cuire
beurrer
casser
verser
ajouter
faire fondre

(1) .... un moule à manqué. *(2)* .... le beurre sur feu très doux et le laisser refroidir dans la casserole. *(3)* .... les 6 œufs en séparant les blancs des jaunes. *(4)* .... ces jaunes dans une grande terrine avec le sucre en poudre et le sucre vanillé, *(5)* .... jusqu'à ce que le mélange mousse. *(6)* .... alors la farine en pluie, puis le beurre et le rhum ; travailler longuement. Faire chauffer le four à thermostat 6 1/2. Monter les blancs en neige et les incorporer délicatement à la pâte. Tailler le zeste du citron en fines lanières et l'ajouter au mélange. *(7)* .... la préparation dans le moule. *(8)* .... pendant 45 minutes. Démouler lorsque le gâteau est tiède et laisser refroidir.

28
Mesurer le temps

1. Entourez les instruments qui servent à mesurer le temps.

une montre	les aiguilles	un chronomètre	une horloge	un thermomètre
un agenda	une pendule	un compte-minutes	une Cocotte-minute	une balance
un réveil	une sonnerie	un compte-gouttes		

2. a. Combien y a t-il de minutes dans :

une heure ? ....
une demi-heure ? ....
un quart d'heure ? ....

b. Combien y a t-il de mois dans :

un trimestre ? ....
un semestre ? ....
une année ? ....

c. Combien y a-t-il de jours dans :

24 heures ? ....
48 heures ? ....
une semaine ? ....

d. Combien y a-t-il d'années dans :

un septennat ? ....
un siècle ? ....
un millénaire ? ....

3. À quelle heure le font-ils ?

1. Ils regardent le journal télévisé du soir.
2. Elle va au cours de gymnastique après son travail.
3. Les enfants rentrent de l'école.
4. Ils déjeunent.
5. C'est le premier rendez-vous de la matinée de M. Pons.
6. Gislaine s'autorise une collation avant le repas de midi.
7. Marc joue au volley-ball : c'est l'heure de son entraînement du soir.
8. C'est généralement l'heure de la deuxième séance pour ceux qui veulent aller au cinéma le soir.
9. C'est l'heure à laquelle la plupart des bars ferment.
10. Ils font la sieste !

2h 8h15 11h midi 16h30 14h 18h 19h 20h 21h 22h

4. Retrouvez les mois de l'année qui correspondent aux affirmations suivantes :

janvier	février	mars	avril	mai	juin
juillet	août	septembre	octobre	novembre	décembre

1. Le premier de ce mois, on s'offre un brin de muguet porte-bonheur.
2. C'est le mois du raisin, c'est aussi celui de l'automne.
3. C'est le mois des giboulées (pluies assez fortes et fréquentes).
4. C'est le mois de l'été.
5. Le 14 de ce mois est une fête nationale. La veille, le 13, de nombreux bals sont organisés dans toute la France.
6. Le premier de ce mois, on se fait des farces.
7. C'est le mois de la nouvelle année mais aussi celui de la galette des Rois que l'on fête le 6.
8. La majorité des Français part en vacances durant ce mois.
9. Le premier et le 11 de ce mois sont fériés (personne ne travaille), le premier est une fête religieuse, le 11 est la date anniversaire d'un armistice (fin d'une guerre).
10. On se déguise et on mange des crêpes pendant ce mois : ce sont les fêtes du Mardi-Gras et de la Chandeleur.
11. C'est le mois de Noël que l'on fête le 25.
12. Il n'y a rien à dire sur ce mois… puisque vous avez trouvé tous les autres !

5. Complétez avec les mots suivants :

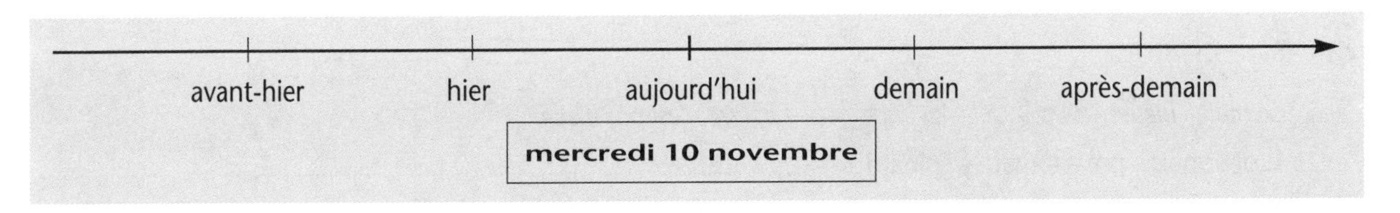

Nous sommes le mercredi 10 novembre, *(1)* .... ce sera le 11 novembre, *(2)* .... c'était le 9 novembre, *(3)* .... ce sera vendredi 12 et *(4)* .... , c'était le 8.

1993 JUILLET O 3h53 à 19h56	AOUT O 4h25 à 19h28	SEPTEMBRE O 5h09 à 18h32	OCTOBRE O 5h51 à 17h28	NOVEMBRE O 6h39 à 16h29	DÉCEMBRE 1993 O 7h24 à 15h55
1 J S. Thierry	1 D S. Alphonse	1 M S. Gilles	1 V Se Th. de l'E.J.	1 L **TOUSSAINT**	1 M Se Florence
2 V S. Martinien	2 L S. Julien-Ey.	2 J Se Ingrid	2 S S. Léger	2 M **Défunts**	2 J Se Viviane
3 S S. Thomas	3 M Se Lydie	3 V S. Grégoire	3 D S. Gérard	3 M S. Hubert	3 V S. Xavier
4 D S. Florent	4 M S. J.M. Vianney	4 S Se Rosalie	4 L S. Fr. d'Assise	4 J S. Charles	4 S Se Barbara
5 L S. Antoine	5 J S. Abel	5 D Se Raïssa	5 M Se Fleur	5 V Se Sylvie	5 D S. Gérald
6 M Se Mariette	6 V *Transfiguration*	6 L S. Bertrand	6 M S. Bruno	6 S Se Bertille	6 L S. Nicolas
7 M S. Raoul	7 S S. Gaëtan	7 M Se Reine	7 J S. Serge	7 D Se Carine	7 M S. Ambroise
8 J S. Thibaut	8 D S. Dominique	8 M *Nativité N.D.*	8 V Se Pélagie	8 L S. Geoffroy	8 M *Imm. Concept.*
9 V Se Amandine	9 L S. Amour	9 J S. Alain	9 S S. Denis	9 M S. Théodore	9 J S. P. Fourier
10 S S. Ulrich	10 M S. Laurent	10 V Se Inès	10 D S. Ghislain	10 M S. Léon	10 V S. Romaric
11 D S. Benoît	11 M Se Claire	11 S S. Adelphe	11 L S. Firmin	11 J **ARMISTICE 1918**	11 S S. Daniel
12 L S. Olivier	12 J Se Clarisse	12 D S. Apollinaire	12 M S. Wilfried	12 V S. Christian	12 D Se Jeanne F.C.
13 M SS. Henri, Joël	13 V S. Hippolyte	13 L S. Aimé	13 M S. Géraud	13 S S. Brice	13 L Se Lucie
14 M **FÊTE NATIONALE**	14 S S. Evrard	14 M *La Se Croix*	14 J S. Juste	14 D S. Sidoine	14 M Se Odile
15 J S. Donald	15 D **ASSOMPTION**	15 M S. Roland	15 V Se Th. d'Avila	15 L S. Albert	15 M Se Ninon
16 V *N.D. Mt-Carmel*	16 L S. Armel	16 J Se Edith	16 S Se Edwige	16 M Se Marguerite	16 J Se Alice
17 S Se Charlotte	17 M S. Hyacinthe	17 V S. Renaud	17 D S. Baudouin	17 M Se Elisabeth	17 V S. Gaël
18 D S. Frédéric	18 M Se Hélène	18 S Se Nadège	18 L S. Luc	18 J Se Aude	18 S S. Gatien
19 L S. Arsène	19 J S. Jean Eudes	19 D Se Emilie	19 M S. René	19 V S. Tanguy	19 D S. Urbain
20 M Se Marina	20 V S. Bernard	20 L S. Davy	20 M Se Adeline	20 S S. Edmond	20 L S. Abraham
21 M S. Victor	21 S S. Christophe	21 M S. Matthieu	21 J Se Céline	21 D *Prés. Marie*	21 M HIVER
22 J Se Marie-Mad.	22 D S. Fabrice	22 M S. Maurice	22 V Se Elodie	22 L Se Cécile	22 M Se Fr.-Xavière
23 V Se Brigitte	23 L Se Rose de L.	23 J AUTOMNE	23 S S. Jean de C.	23 M S. Clément	23 J S. Armand
24 S Se Christine	24 M S. Barthélemy	24 V Se Thècle	24 D S. Florentin	24 M Se Flora	24 V Se Adèle
25 D S. Jacques	25 M S. Louis	25 S S. Hermann	25 L S. Crépin	25 J Se Catherine L.	25 S **NOËL**
26 L SS. Ann., Joa.	26 J Se Natacha	26 D SS. Côme, Dam.	26 M S. Dimitri	26 V Se Delphine	26 D S. Etienne
27 M Se Nathalie	27 V Se Monique	27 L S. Vinc. de Paul	27 M Se Emeline	27 S S. Séverin	27 L S. Jean
28 M S. Samson	28 S S. Augustin	28 M S. Venceslas	28 J SS. Sim., Jude	28 D **Avent**	28 M *SS. Innocents*
29 J Se Marthe	29 D Se Sabine	29 M S. Michel	29 V S. Narcisse	29 L S. Saturnin	29 M S. David
30 V Se Juliette	30 L S. Fiacre	30 J S. Jérôme	30 S S. Bienvenue	30 M S. André	30 J S. Roger
31 S S. Ignace de L.	31 M S. Aristide		31 D S. Quentin	CASLON · Paris (1) 45 42 13 20	31 V S. Sylvestre

29
Mettre de la couleur

1. **À quelle couleur vous font penser ces mots ? Placez les couleurs dans la grille des mots croisés.**

1. Chocolat – Ours
2. Citron – soleil
3. Nuit – Corbeau
4. Neige – Aspirine
5. Pré – Émeraude
6. Tomate – Coquelicot
7. Évêque – Violette
8. Souris – Anthracite
9. Ciel – Saphir
10. Flamant – Crevette
11. Abricot – Mandarine

marron
vert
rouge
jaune
gris
rose
violet
blanc
noir
bleu
orange

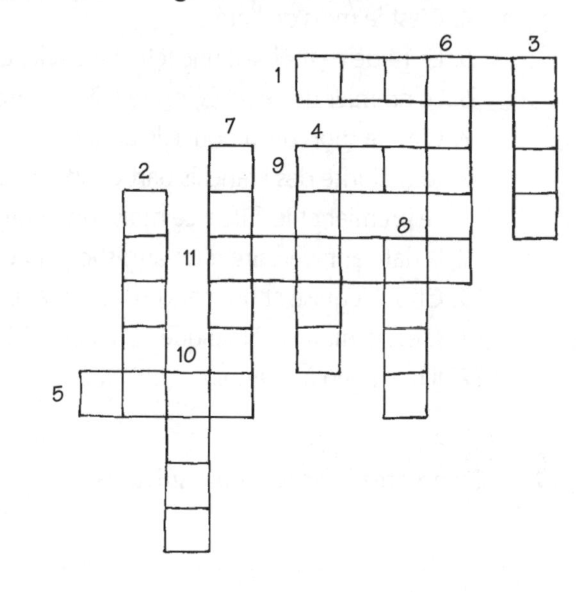

2. **Barrez l'intrus.**

Exemple : bleuet – ~~terre~~ – ciel – lavande ⟶ La terre n'est pas bleue.

1. petit pois – pré – tomate – épinard ⟶ ....
2. citron – ébène – encre – nuit ⟶ ....
3. sang – pré – fraise – coquelicot ⟶ ....
4. miel – or – souris – soleil ⟶ ....
5. tronc – mandarine – châtaigne – ours ⟶ ....

3. **Complétez avec la couleur appropriée. (Attention aux accords !)**

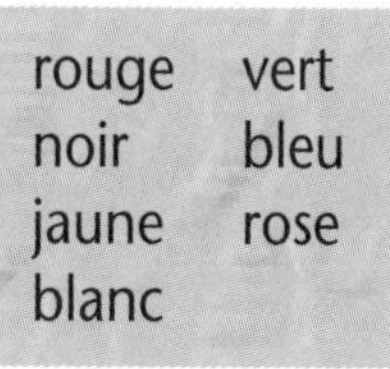

1. Les fruits ne sont pas mûrs, ils sont ....
2. Elle se mit du .... à lèvres.
3. Les personnes de race .... ont les yeux bridés.
4. Un café ...., s'il vous plaît, sans lait !
5. En Afrique, nous avons vu beaucoup de flamants ....
6. Il était .... de froid.
7. On appelle souvent les Indiens d'Amérique des Peaux-.......... .
8. C'était tout à fait visible : écrit .... sur blanc.
9. Regarde comme ils sont bronzés ! Toi, par contre, tu es encore tout ....
10. On agite le drapeau .... en signe de paix.

4. Les couleurs sont également employées dans des expressions figurées.
Reliez les expressions ci-dessous à leur explication puis trouvez le dessin qui y correspond.

1. Rire jaune.
2. Voir rouge.
3. Donner le feu vert.
4. Une arme blanche.
5. Il est très fleur bleue.
6. Broyer du noir.
7. Faire grise mine.
8. Voir la vie en rose.

a. Être optimiste
b. Montrer un visage maussade.
c. Être triste.
d. Permettre d'entrer en action.
e. Être en colère.
f. Rire forcé qui dissimule le dépit.
g. Sentimental.
h. Opposée à arme à feu.

5. Classez les mots suivants selon qu'ils déterminent une ou plusieurs couleurs :

pâle moucheté foncé clair bariolé panaché multicolore uni chamarré sombre

Une couleur	*Plusieurs couleurs*
....	....
....	....
....	....
....	....
....	....

30
Mesurer et tracer

1. Dites ce que sont ces formes.

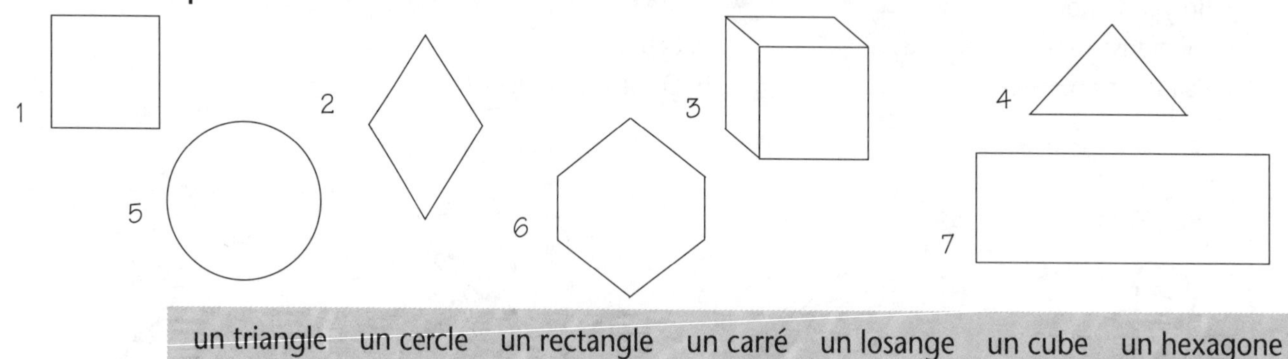

un triangle un cercle un rectangle un carré un losange un cube un hexagone

2. Complétez les phrases.

hauteur diamètre longueur côtés angles largeur

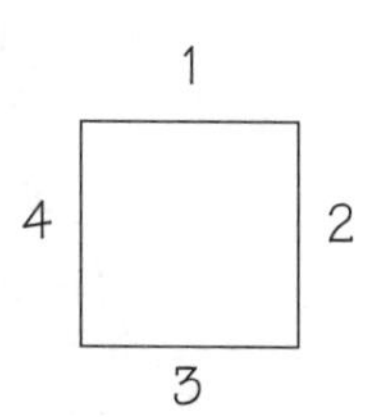

1. C'est un carré : il a quatre ....

2. C'est un rectangle. Sa .... est de cinq centimètres. Sa .... est de deux centimètres.

l = 2 cm

L = 5 cm

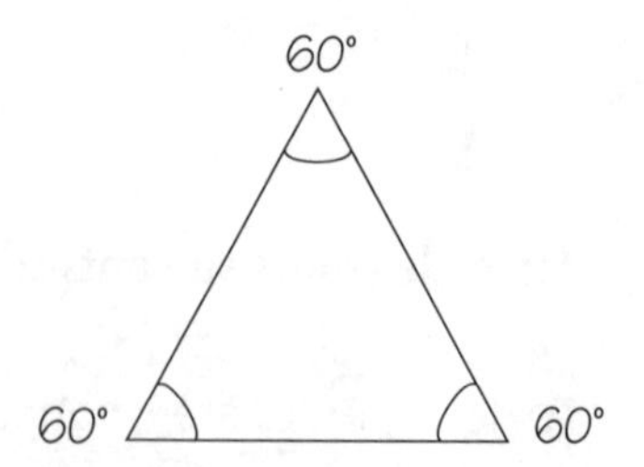

3. C'est un triangle, la somme de ses .... est égale à 180°.

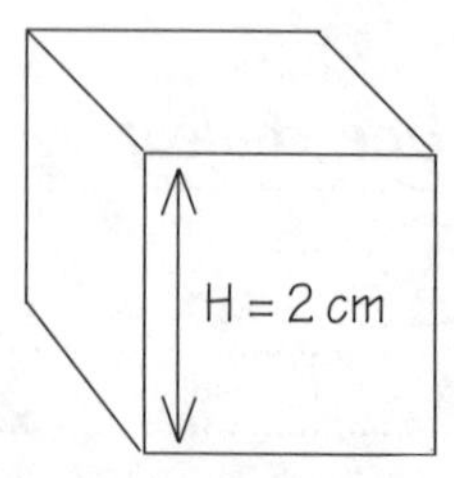

4. C'est un cube, sa .... est de deux centimètres.

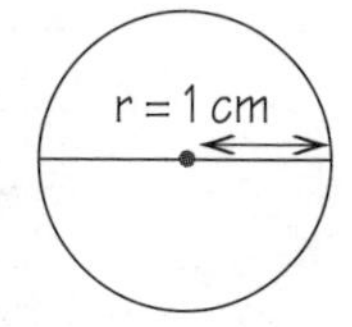

5. C'est un cercle, son .... est égal à deux fois le rayon, c'est-à-dire deux centimètres.

3. **À vous ! Tracez un cercle de 4 centimètres de diamètre. Au-dessus, dessinez un triangle de 3 centimètres de côté. À gauche du cercle, ajoutez un carré de 2 centimètres de côté. En dessous du cercle, dessinez un rectangle de 7 centimètres de long et 3 centimètres de large.**

● *centre du cercle*

4. **Quelle unité choisirez-vous ?**

1. un seau d'eau
2. la surface d'une maison
3. la longueur d'un livre
4. un sac de pommes de terre
5. un éléphant
6. une route
7. les ingrédients d'un gâteau

a. le kilomètre
b. le litre
c. le kilogramme
d. le mètre-carré
e. le centimètre
f. la tonne
g. le gramme

LES UNITÉS DE MESURE

Pour mesurer
la longueur
- le kilomètre **km**
- le mètre **m**
- le centimètre **cm**

la surface
- le mètre carré **m^2**

Pour donner la contenance
- le litre **l**

Pour peser
- la tonne **t**
- le kilogramme **kg**
- le gramme **g**

Les services

31
Le dictionnaire

Le dictionnaire est un recueil de mots rangés dans un ordre convenu, le plus souvent alphabétique.

1. **Classez ces mots dans l'ordre alphabétique.**

verre cuillère fourchette saladier couteau assiette corbeille serpillière salière pichet serviette

Quel est l'intrus ? Dites pourquoi.

2. **Chaque mot-étiquette a différentes entrées, par exemple : le mot «orange».**

ORANGE [ɔʀɑ̃ʒ] n. f. – 1515 ; *pomme d'orenge* v. 1300 ; a. it. *melarancia* ; de l'ar. *narandj* **1.** Fruit comestible de l'oranger (agrume), d'un jaune tirant sur le rouge. *Orange sanguine. Marmelade d'oranges. Jus d'orange, orange pressée. Boisson à l'orange.* ⇒ **orangeade. 2.** Adj. inv. D'une couleur semblable à celle de l'orange. ⇒ **orangé**. *Des rubans orange.*

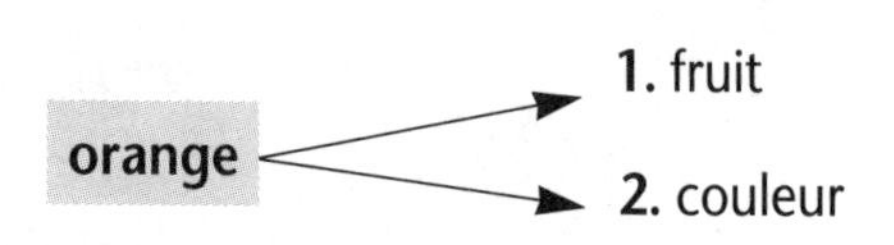

Indiquez les différentes entrées des mots «tomate» et «oie».

TOMATE [tɔmat] n. f. – mil. XVIIIe ; h.1598 ; esp. *tomata,* mot d'o. aztèque **1.** Plante potagère annuelle, cultivée pour ses fruits. *Planter des tomates.* **2.** Fruit sphérique, rouge, de cette plante. *Tomate ronde, oblongue* (⇒ **orange**). *Tomate cerise,* de la taille d'une cerise. **3.** FAM. Mélange de pastis et de grenadine.

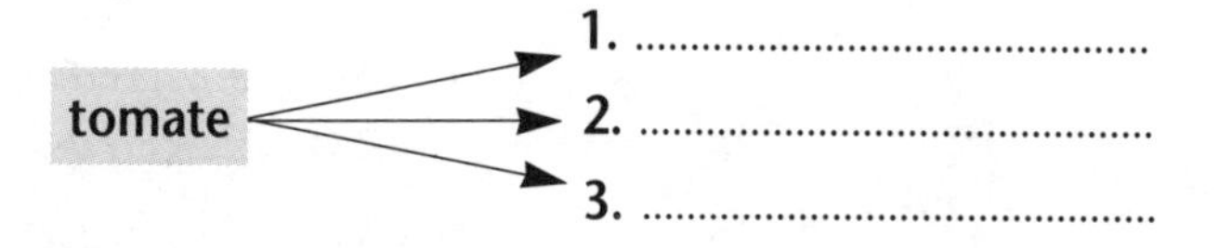

OIE [wa] n. f. – XIIIe ; oe, oue XIIe; bas lat. *auca* **1.** Oiseau palmipède, au plumage blanc ou gris, au long cou, dont une espèce est depuis très longtemps domestiquée ; spécialt La femelle de cette espèce. *Le jars, l'oie et les oisons. L'oie cacarde, criaille.* **2.** FIG. et FAM. Personne très sotte, niaise. *«Une grande oie infatuée d'elle-même»* (Baud.). – VIEILLI Une oie blanche : une jeune fille très innocente, niaise.

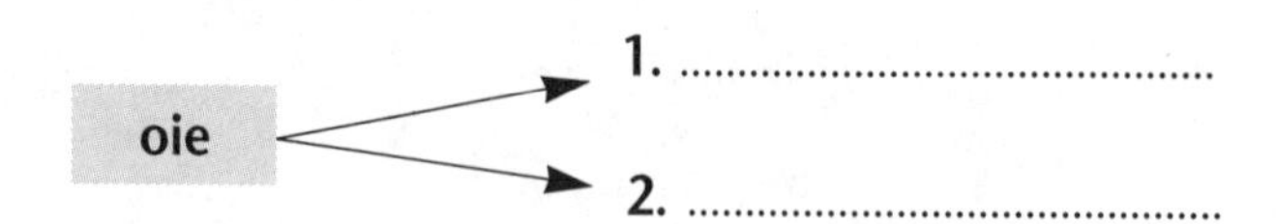

3. **Reliez l'adjectif «fort/forte» à son contraire.**

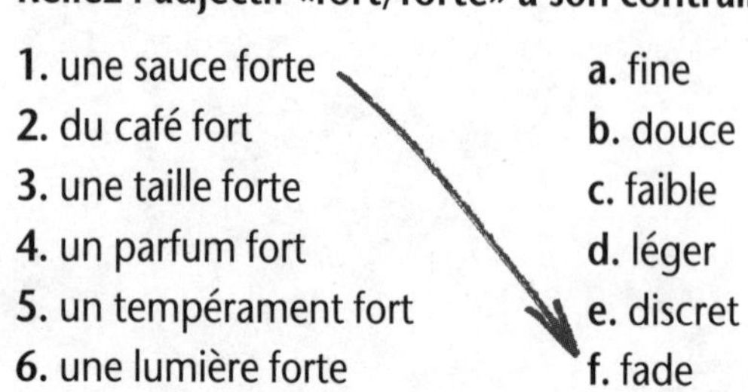

1. une sauce forte
2. du café fort
3. une taille forte
4. un parfum fort
5. un tempérament fort
6. une lumière forte
a. fine
b. douce
c. faible
d. léger
e. discret
f. fade

4. **Le dictionnaire permet de trouver des mots plus précis que ceux qui nous viennent à l'esprit. Dans les phrases suivantes, le verbe «faire» peut être remplacé par d'autres verbes. Trouvez-les en vous aidant de la liste et des illustrations.**

coûte construit mesure visité jouait

1. Il a *fait* sa maison lui-même.
2. Pendant mes vacances, j'ai *fait* la Bretagne.
3. Elle *fait* au moins 1,80 mètre, elle est vraiment très grande !
4. – Ça *fait* combien ? – Douze francs.
5. Ce célèbre acteur *faisait* Roméo dans la pièce de Shakespeare.

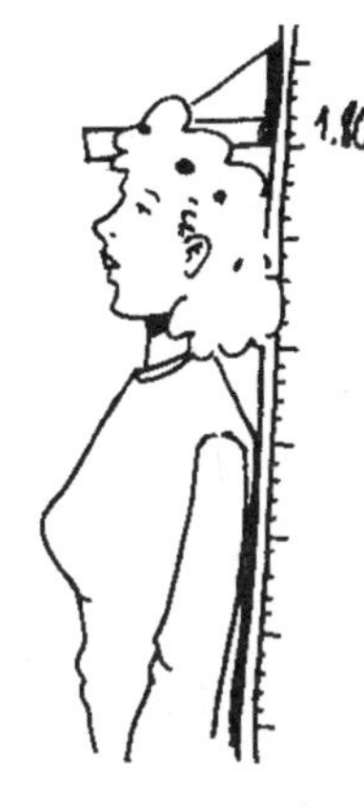

a. m_ _ _ _ _r b. v_ _ _ _ _r c. j_ _ _r

d. c_ _ _ _ _ _ _ _e e. c_ _ _ _r

5. **Aidez-vous du dictionnaire pour trouver le mot juste pour chacune des définitions suivantes.**

1. C'est une petite fleur. ⟶ ....
2. La personne qui vend des fleurs. ⟶ ....
3. Couvrir de fleurs. ⟶ ....
4. Ensemble des fleurs d'un pays. ⟶ ....
5. C'est le temps où les fleurs fleurissent. ⟶ ....

fleurir
un(e) fleuriste
la flore
une fleurette
la floraison

32
Les journaux

1. **Ils paraissent tous les combien ? Reliez.**

Un journal paraît plus ou moins fréquemment. Retrouvez à quoi correspondent les parutions suivantes :

1. une parution semestrielle
2. une parution hebdomadaire
3. une parution trimestrielle
4. une parution annuelle
5. une parution mensuelle
6. une parution bi-mensuelle
7. une parution quotidienne

a. tous les mois
b. tous les jours
c. deux fois par mois
d. tous les 6 mois
e. tous les 3 mois
f. toutes les semaines
g. tous les ans

2. **De quoi parlent ces journaux ? Associez les couvertures au thème dominant.**

a. un journal d'information
b. un journal satirique
c. un journal pour enfants
d. un journal financier
e. une revue scientifique
f. un journal sportif
g. une revue littéraire
h. une revue pratique

3. À quelle rubrique du journal correspondent ces titres ?

Faits divers	Sports	Publicité	Économie	Politique intérieure
Politique étrangère	Météo	Nécrologie	Petites annonces	Programme de la télévision

① **Mauvaise rentrée pour les retraités**

② CIBISTES

Fangio tué par Jawa parce qu'il aimait Patoune

Les cibistes de la région étaient au courant. Il suffisait d'écouter certaines fréquences. Brigitte Guérin, compagne de Grégoire Sanchez, était une intime de Michel Gamonet. Jusqu'au drame.

③ Part. vend 2 sofas cuir (TBE). Réfrigérateur. Tables. Visite samedi. 28.8.93 vers 15h. 44.79.07.88/45.27.16.48

④ VOILE

Solitaire du Figaro: un final guerre des nerfs

⑤ HAITI

L'ONU lève l'embargo contre Haïti

Après la nomination d'un Premier ministre, le Conseil de sécurité a décidé de lever les sanctions.

7.00 Premier service. Magazine. 7.15 Bonjour les petits loups. 8.00 Les Minikeums. 10.55 Hondo. 11.45 La cuisine des mousquetaires. 12.00 12/13. 13.00 Soucoupe volante. Divertissement. 13.30 La conquête de l'Ouest. 15.15 La croisière s'amuse. 16.10 Appelez-moi Mathilde, *film français de Pierre Mondy (1969). Comédie. 95 min.* 17.45 Une pêche d'enfer. Magazine. 18.25 Questions pour un champion. 18.50 Un livre, un jour. Magazine. «L'Homme sans postérité» d'Adalbert Stifter (Points/Seuil). 19.00 19/20. 19.10 Editions régionales. 19.30 19/20. 20.05 Le journal du Paris-Dakar. Magazine. En direct. 20.30 Le journal des sports. Magazine.

⑦

METEOROLOGIE

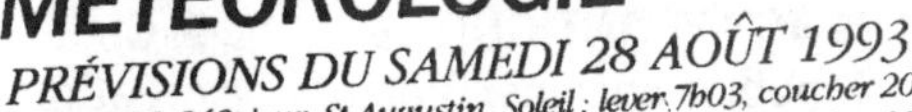

PRÉVISIONS DU SAMEDI 28 AOÛT 1993

- *SAMEDI: 240e jour. St Augustin. Soleil : lever 7h03, coucher 20h40*
- *DIMANCHE: 241e jour. Ste Sabine Soleil : lever 7h04, coucher 20h38*

LUNDI: St Fiacre

Bretagne, Pays-de-Loire, Normandie. Le temps sera sec, et des éclaircies prédomineront, malgré quelques passages nuageux, qui s'en tiendront aux côtes de la Manche.

Futons, tatamis, paravents et supports bois importés d'Asie au meilleur prix.

PROMOTION OUVERTURE :

CANAPÉ CONVERTIBLE

en bois massif 140 x 200 avec matelas futon 100% coton.

2450F

CRÉDIT GRATUIT.

Livraison gratuite sous 48H.

OMOTÉ

LITERIE JAPONAISE

68, av. Ledru Rollin 75012 Paris 43.42.35.74. et

MAINTENANT UN SECOND MAGASIN

31, bd des Batignolles 75008 Paris

⑧ **L'été euphorique de Wall Street**

décès

Appelez le 42 76 17 41

Catherine Delabrouille

est décédée le 17 août 1993 à Chinon.

Libération, jeudi 26 août 1993.

33
Les petites annonces

1. Dites à quelle information correspondent les mots entourés.

PARIS [18e] (a) [(Lamarck)] (b) Grd studio de 40 m²
séjour, cuis., cave [3500 F] (c) + [Ch.] (d)

1. Le numéro de l'arrondissement (Paris en a 20). ☐
2. Le prix de la location (par mois). ☐
3. Le nom de la station de métro la plus proche. ☐
4. Les charges (entretien de l'ascenseur, chauffage collectif...). ☐

2. Retrouvez les mots manquants dans chaque petite annonce.

1
■ Proximité Nation. Studio rénové. Bon .... ravalé 320 000F Propriétaire 42.77.25.62

2
■ Jeune femme cherche quelques heures de .... repassage, à mi-temps. T. 40.35.24.13

3
■ vends .... ancien ERARD demi-queue, mécanique rénovée, sans couvercle d'où son prix 15000F Tél. 40.05.09.30

4
■ **ACHAT ANTIQUITÉS** Meubles anciens, Bibelots, Poupées, Pendules, Tableaux, Bronzes, Livres, Violons, Jouets, ... Glaces, etc. Tél. 43.02.50.23

5
■ Je vends répondeurs interro. à dist. 390F + ... ss fil 300F. 40.09.82.00

6
■ Art. peintre recherche mannequin ...., beau visage, t 1m72, préf. métisse 47.04.88.38 12 à 17h

7
■ Ch. .... amateurs pr création théâtrale octobre Paris 20 Bruno 42.78.44.89 ou (16) 41.34.05.11

8
■ **Terriblement séduisante** T. belle .... brune aux formes voluptueuses veut tout partager avec H. vrai (FE 103) EAG 44.13.40.42

9
■ Perdu petite .... grise craintive collier écossais, grosse récompense Tél. 42.28.98.81

10
■ Recherche pour restaurant 3e, ... ou serveur pour service midi. T. 48.87.98.57

11
■ Il reste de la place dans mon .... pour transport meubles, colis, etc. Paris Marseille et environs chaque semaine. Px int. Tél. 40.61.07.45

camion	téléphones	piano	comédiens	argenterie	femme
serveuse	ménage	chatte	immeuble	modèle	

3. Entourez le mot qui correspond à l'abréviation.

Exemple :

■ URGENT [vds] frigidaire congélat. 1000F an. 93, canapé lit, tiroir enft, divers choses. T. 46.67.74.40

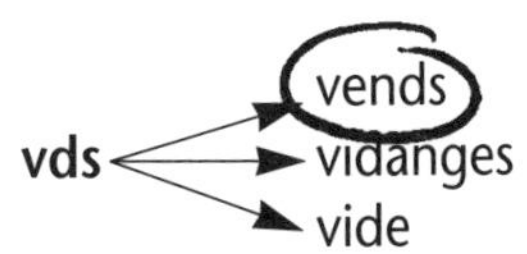

1. Rech. vendeurs(ses) [Transp.] et formation assurée. Tél. ts les jours au : 42.64.06.67

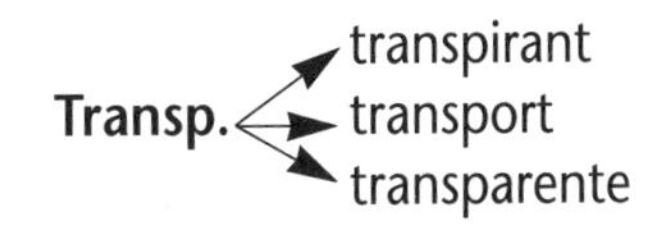

2. ■ Vds TV coul. 36cm, 1500F + armoire 3 portes 137x198 blanche, 1500F. T. bur. 49.59.15.09 [dom.] 44.64.75.38

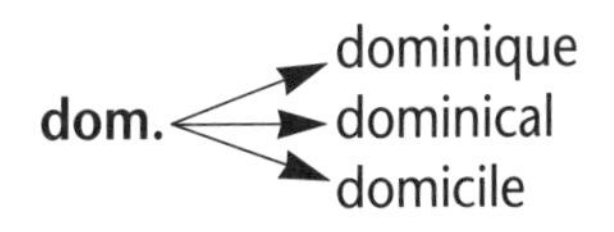

3. ■ Ch. nourrice pour [sept.] à domicile Paris 19e. *Écrire au jnal réf. SC088023*

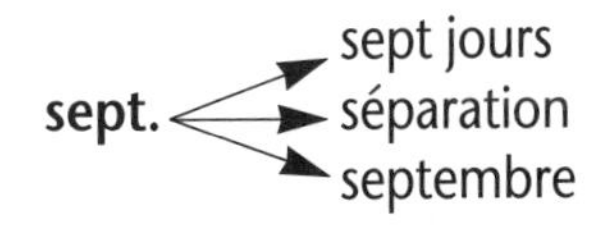

4. Gagnez beaucoup [d'argt] en trav. qques h./sem. à dom. Rens. : env. timbr. M. Lahaye, 9 rue Général-Clergerie 75016 Paris

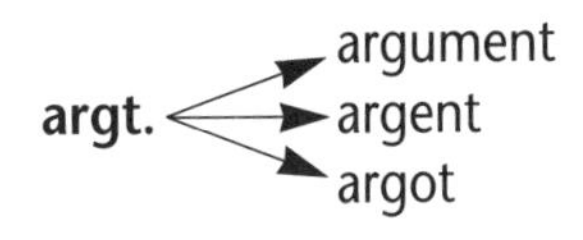

5. ■ [H] 46a, libre, b. niveau, pl. d'humour et tendresse, ch. JF 30/40a, ss enfts, simple et attent. pour vie à 2 dans la joie et la compl. T. 46.57.10.43.

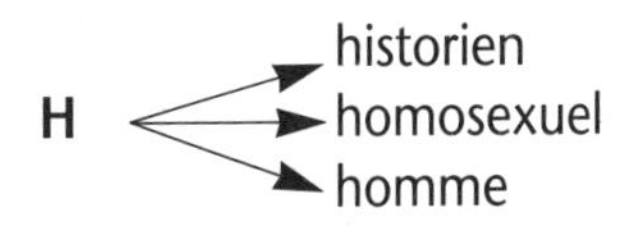

6. PARIS 11e (Faidherbe) – 2 [P.], meublé, cuis.éq., tt cft. 5000F CC

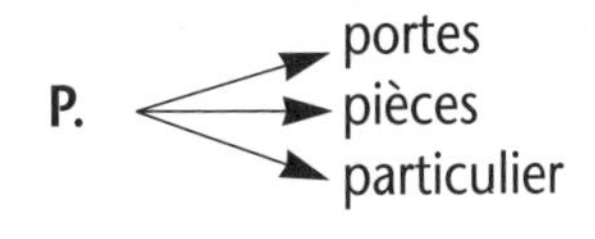

7. ■ Dame [ser.] références, cherche à garder enfant à son domicile Paris 20e. T. 47.97.20.58

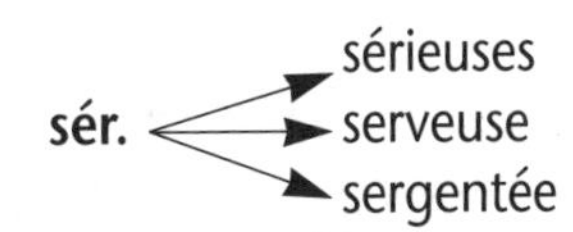

4. Dites dans quelle rubrique il faut chercher pour :

1. trouver un appartement.
2. acheter un canapé d'occasion.
3. trouver du travail.
4. acheter une voiture.
5. trouver une location pour les vacances d'été.
6. trouver l'homme ou la femme de sa vie.
7. avoir les coordonnées d'un plombier.

Auto-moto	Relations-mariages
Immobilier	Vacances-tourisme
À votre service	Carrières et emplois
Divers	

34
La télévision

1. En lisant le programme de télévision ci-dessous, dites à quelle heure sont proposées les différentes émissions.

1. Une émission sportive.
2. Les actualités.
3. Un feuilleton.
4. Un film.
5. Un documentaire.
6. Une émission pour enfants.
7. Un reportage.
8. Un entretien.
9. Un jeu télévisé.

7.00	**Debout les petits bouts** Dessins animés Lapin bleu. L'Oncle explorateur. Chip et Charly. Fuzzy bienfaiteur. Heckle et Jeckle. Une joyeuse poursuite. Terrytoons. Les Nouveaux Voyages de Gulliver. Le Livre de la jungle.
11.30	**Santa Barbara** Feuilleton américain inédit.
11.55	**La roue de la fortune** Jeu animé par Alexandre Debanne et Annie Pujol.
12.59	**Journal – Météo** Présenté par Paul Amar.
13.15	**Reportages** S.A.S. Albert prince de Monaco (reportage de Christian Brincourt).
20.40	**LE GUIGNOLO** Film français (1979). Durée TV : 1h45 (sans la publicité). Rediffusion. Réalisateur : Georges Lautner. Scénario : Jean Herman. Avec Jean-Paul Belmondo (Alexandre Dupré) et Michel Galabru (Achille Sureau).
22.20	**La route de Bolivar** Documentaire de Francisco Norden. Commentaire : Jacques Meunier. Avec Alvaro Mutis, Gillette Saurat, Jorge Semprun et Régis Debray, Arturo Uslar Pietri, Ramon J. Velasquez, Antonio Navarro Wolf.
23.15	**Le divan** Henry Chapier reçoit Philippe Tesson, directeur du *Quotidien de Paris*.
0.20	**Spécial sport : surf à Hossegor** Une des trois étapes françaises du championnat du monde de surf.

2. Vrai ou faux ? Écrivez V si l'affirmation est vraie, F, si elle est fausse.

1. Le journal est présenté par Francisco Norden. ☐
2. *Le Guignolo* est réalisé par G. Lautner. ☐
3. Philippe Tesson est directeur d'un journal parisien. ☐
4. Le jeu télévisé est à 13 h 15. ☐
5. Le feuilleton américain n'avait pas été encore diffusé. ☐
6. L'émission pour enfants est composée de dessins animés. ☐
7. Les championnats de France de surf se déroulent à Hossegor. ☐

3. Reliez les descriptions aux émissions correspondantes.

1. Plusieurs personnes discutant sur un thème.
2. Des acteurs jouent un scénario.
3. Les animaux en voie de disparition.
4. Un journaliste parle d'événements internationaux.
5. L'histoire d'une famille en plusieurs épisodes.
6. Une émission sur un roi de France adaptée aux enfants.
7. Plusieurs personnes essaient de répondre à des questions pour gagner un voyage.
8. Un match de football.

a. Un jeu télévisé.
b. Un feuilleton.
c. Une émission sportive.
d. Un débat.
e. Un journal télévisé.
f. Un documentaire.
g. Un film.
h. Une émission éducative

4. Regardez le document. Lisez le texte et répondez aux questions.

	20.30 – 21.00 – 30 – 22.00 – 30 – 23.00 – 30 – 0.00			
TF1	20.50 ***L'invité surprise*** (film)	22.25 ***Le prix de l'exploit*** (film)		
F2	20.50 ***Les tribulations d'un Chinois en Chine*** (film)	22.30 ***De quoi j'ai l'air*** (divertissement)	23.40 ***JT***	
F3	20.45 ***Docteur Teyran*** (feuilleton)	22.15 ***Les moissons de fer*** (documentaire)	23.10 ***JT***	23.35 ***Paul Morand*** (documentaire)
C+	20.30 ***Football***	22.35 ***Y a-t-il un flic pour sauver le Président ?*** (film)	23.55 ***Puppet Master*** (film)	
Arte	***JT***	20.40 ***Soirée thématique :*** *Du côté des jeunes filles* (court métrage, documentaires, portrait, film)		
M6	20.45 ***Tendre choc*** (téléfilm)	22.35 ***Mission impossible*** (série)	23.35 ***Destination danger*** (série)	

Ce soir, Pierre décide de regarder la télévision. N'ayant pas le programme, il passe rapidement d'une chaîne à l'autre pour choisir celle qu'il suivra.
Sur TF1, c'est un film où le héros cherche à gagner une course.
Sur M6, c'est la rediffusion d'une série américaine.
Sur France 3, le journal télévisé se termine et l'émission suivante est un documentaire sur un écrivain français.

1. Quelle heure est-il lorsque Pierre allume son poste de télévision ?

2. Quel est le nom de l'écrivain ?

35
La météo

1. Quel est l'objet dont vous vous servez quand :

1. il pleut ?
2. il neige ?
3. le soleil est très chaud ?
4. il y a du vent ?
5. il y a du brouillard ?
6. il fait froid ?

a

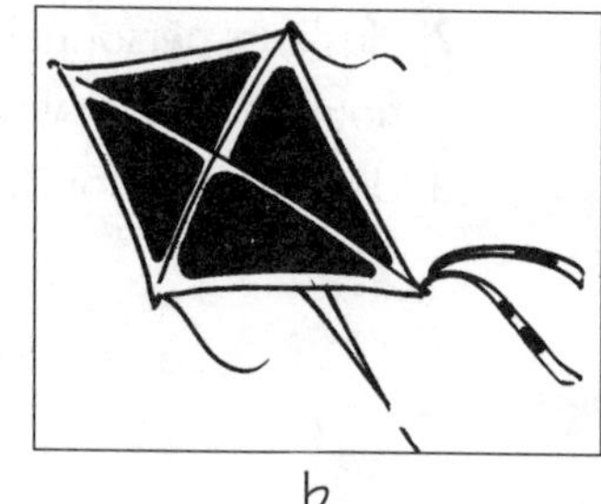
b

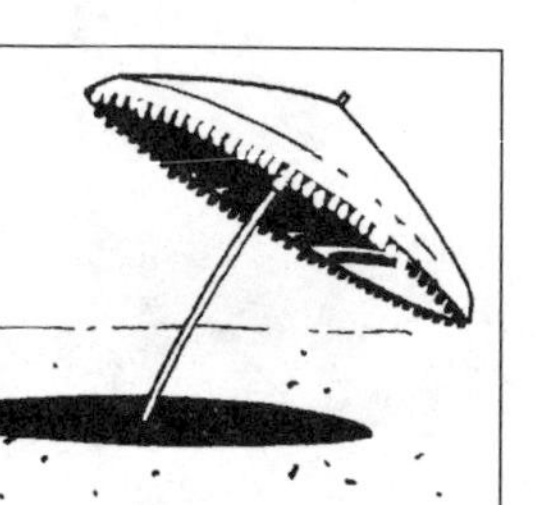
c

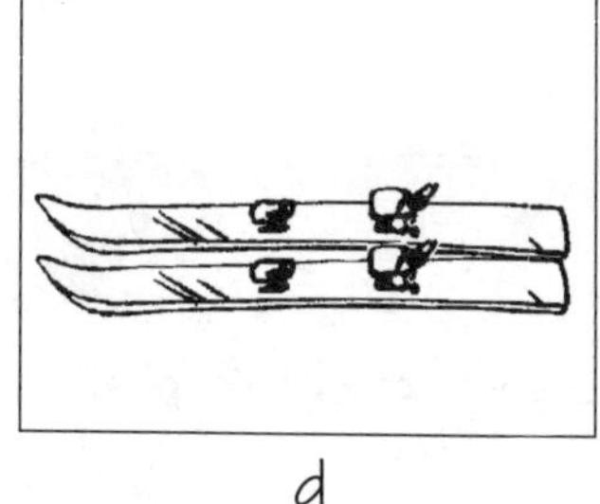
d

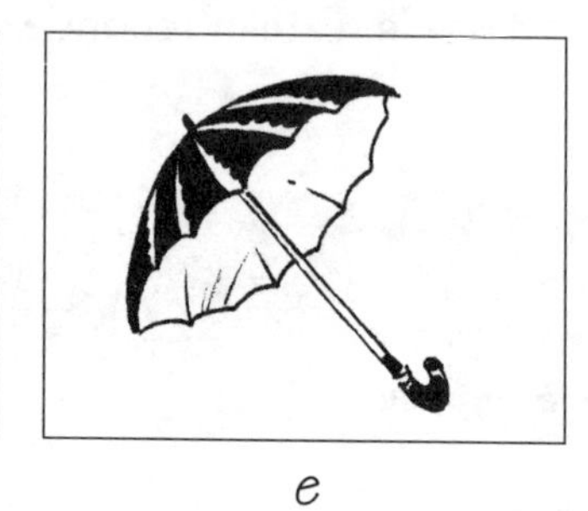
e

f

2. Complétez le bulletin météorologique avec les mots de la liste.

orage
éclaircies
brouillard
couvert
ensoleillé
averses
nuageux
pluie

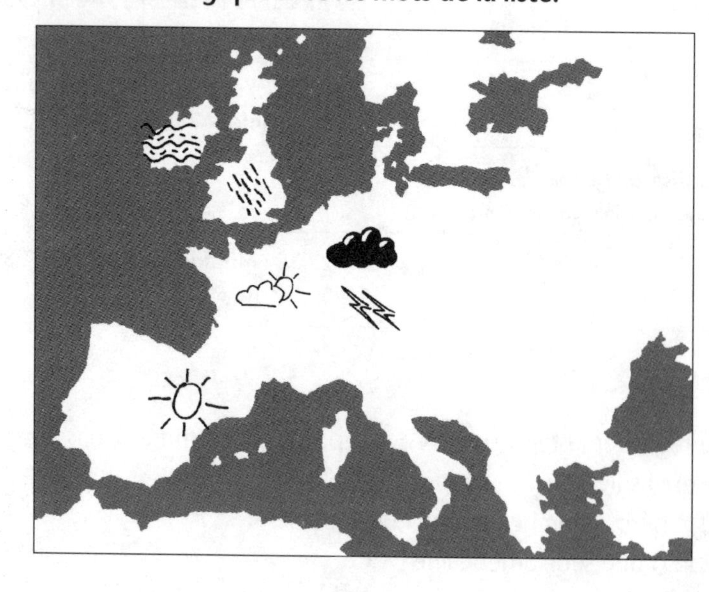

couvert/nuageux

éclaircies

pluie

brouillard

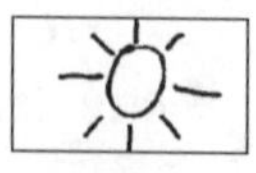
soleil

orages

Paris sera *(1)* .... avec quelques *(2)* .... en fin de journée. À Londres, on peut s'attendre à de la *(3)* .... Barcelone devrait être *(4)* .... Le temps sera *(5)* .... à Francfort avec des risques d'*(6)* .... Du *(7)* .... à Dublin en matinée qui sera suivi de nombreuses *(8)* .... dans l'après-midi. N'oubliez pas votre parapluie !

3. Les deux mots de chaque paire ont un sens voisin mais l'un est plus fort que l'autre. Entourez le mot le plus fort.

1. **a.** la brume **b.** le brouillard
2. **a.** gelé **b.** froid
3. **a.** torride **b.** chaud
4. **a.** la pluie **b.** la bruine
5. **a.** la brise **b.** le vent
6. **a.** l'orage **b.** la tempête
7. **a.** frais **b.** froid

4. À la campagne, on peut prévoir le temps par d'autres signes. Retrouvez les illustrations qui correspondent aux phrases.

1. Des vaches couchées dans un pré indiquent que la pluie approche.
2. Par temps sec, les écailles de la pomme de pin s'ouvrent ; elles se referment par temps humide.
3. Quand les hirondelles volent haut dans le ciel, c'est signe de beau temps.
4. Si les écureuils ont la queue très touffue, l'hiver sera rude.
5. Une peau d'oignon peu épaisse est signe d'un hiver court et doux.
6. La chouette qui hulule le soir annonce du beau temps pour le lendemain.

a b c

d

e

f

36
La publicité

1. Associez le numéro du dessin au mot ou à l'expression correspondant.

un afficheur	un slogan	un présentoir	une affiche publicitaire
un prospectus	une marque de produit	un concepteur-rédacteur	un consommateur

2. Entourez le produit pour lequel la publicité est faite.

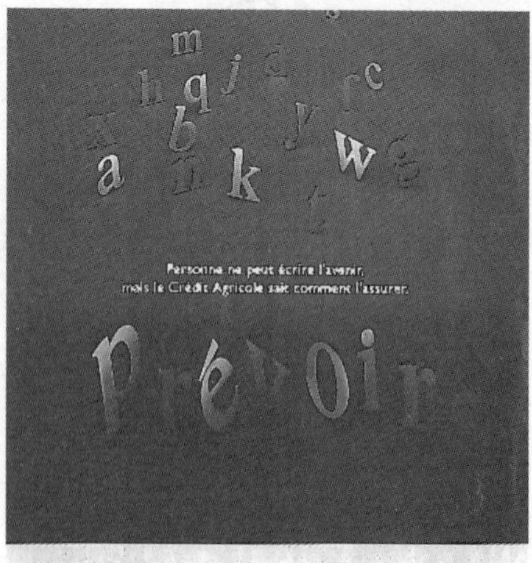

1. **a.** des journaux pour enfants
   b. le sport
   c. des couches culottes

2. **a.** un club de rencontres
   b. un livre de géographie
   c. un dictionnaire

3. **a.** un yaourt
   b. une banque
   c. un mouvement écologique

3. Classez les légendes de cette affiche dans les cinq rubriques suivantes :
Ses paysages – Ses animaux – Ses spécialités – Sa technologie – Ses coutumes.

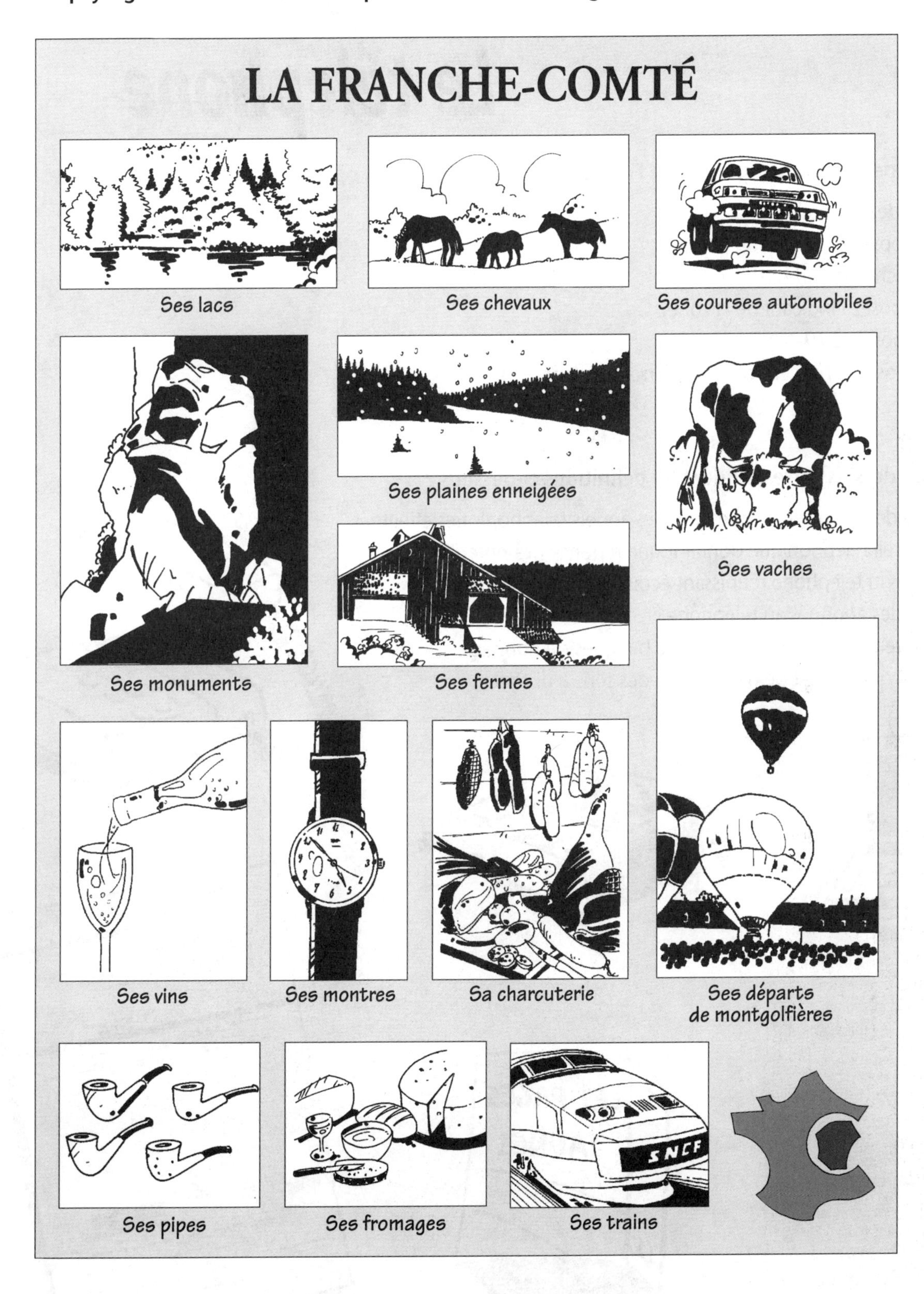

4. À votre tour ! Faites une affiche publicitaire pour votre région ou votre pays.

37
Le téléphone

1. Vous appelez un pays étranger de France. Retrouvez l'ordre des opérations.

a. Attendez la tonalité. ☐
b. Composez l'indicatif du pays. ☐
c. Décrochez le combiné. ☐
d. Composez l'indicatif de la zone. ☐
e. Composez le 19. ☐
f. Composez le numéro de votre correspondant. ☐

2. À quels dessins correspondent les définitions ci-dessous ?

1. Note de la somme à payer pour les appels téléphoniques effectués.
2. Appareil téléphonique donnant une réponse pré-enregistrée.
3. Partie du téléphone réunissant écouteur et microphone.
4. Liste des abonnés au téléphone.
5. Petit terminal de consultation de banques de données.
6. Objet qui permet de transmettre des sons à distance.

d

c

a

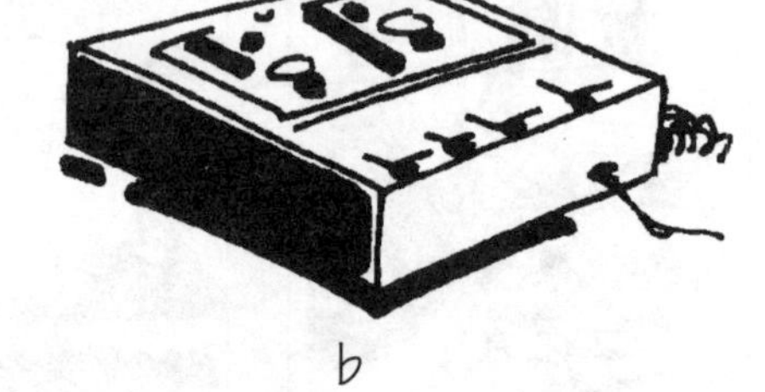

b

un répondeur
un annuaire
un Minitel
une facture
un téléphone
un combiné

e

f

3. Les numéros importants. Si vous composez les numéros suivants, qui aurez-vous en ligne ?

1. Le 12
2. Le 13
3. Le 14
4. Le 15
5. Le 17
6. Le 18

a. Les agences de France Telecom.
b. La police.
c. Les renseignements.
d. Les dérangements (en cas de mauvais fonctionnement de votre téléphone).
e. Le S.A.M.U. (service d'aide médicale urgente).
f. Les pompiers.

1

2

3

4

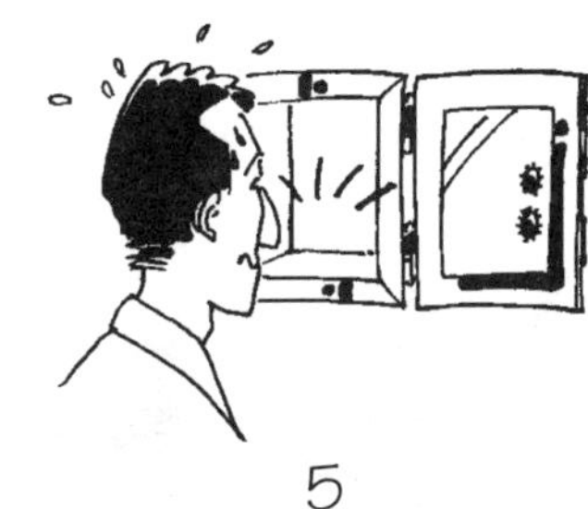
5

6

4. Que faites-vous ? Choisissez la bonne réponse.

1. « Bonjour, vous êtes bien au 45 57 90 16. Je ne suis pas là mais laissez votre nom et vos coordonnées après le bip sonore. Merci. »

a. Vous raccrochez.
b. Vous attendez.
c. Vous laissez un message.

2. « ... nous recherchons votre correspondant. »

a. Vous attendez.
b. Vous raccrochez.
c. Vous parlez.

3. « bip... bip... bip... bip... »

a. Votre correspondant est déjà en ligne.
b. Vous avez fait un mauvais numéro.
c. Le téléphone est en dérangement.

4. « ... il n'y a pas d'abonné au numéro demandé... »

a. Vous cherchez le nouveau numéro de téléphone dans l'annuaire.
b. Vous attendez.
c. Vous rappelez.

38
Les transports

1. **Classez les moyens de transport selon qu'ils roulent, flottent ou volent.**

Ils roulent	*Ils flottent*	*Ils volent*
....	....	....
....	....	....
....	....	....
....	....	....
....	....	....
....	....	....
....	....	....

la motocyclette	la péniche	l'autobus	la barque	le cargo
la montgolfière	le vélo	l'avion	le métro	le camion
l'hélicoptère	le train	le voilier	la voiture	le bateau

2. **Observez le tableau et complétez-le avec les mots de la liste.**

Route	*Rail*	*Mer*	*Air*
voiture		bateau	
	gare		
	quai	quai	
conducteur	conducteur		
descendre	descendre		
monter	monter		
se garer	arriver en gare		
trajet	trajet		

garage	train	traversée	port	piste
capitaine	pilote	trottoir	accoster	embarquer
débarquer	avion	atterrir	aéroport	vol

3. **Ma voiture a des problèmes : que faut-il faire ?**

1. Les phares ne s'allument plus.
2. La voiture est tombée en panne.
3. Le témoin d'huile s'allume.
4. Mon pneu est crevé.
5. Ma voiture ne démarre plus.
6. Il y a une fuite dans le radiateur.

a. Il faut remettre de l'huile.
b. Il faut recharger la batterie.
c. Il faut changer l'ampoule.
d. Il faut reprendre de l'essence.
e. Il faut rajouter de l'eau.
f. Il faut changer le pneu.

4. **Le taxi, avec le bus et le métro, est un moyen de transport dans une grande ville. Associez les phrases aux dessins.**

1. Vous le trouvez stationné en des lieux précis dans la ville.
2. Une plaque lumineuse située à l'avant du toit vous permet de voir de loin s'il est libre.
3. Vous pouvez donner un pourboire qui représente en général 10 % de la somme à payer.
4. Il faut demander l'arrêt du bus en appuyant sur le bouton.
5. Quand on monte dans le bus, on poinçonne son ticket ou on montre sa carte d'abonnement.
6. Chaque station de métro porte un nom célèbre.
7. Le métro roule sur des rails.

39
La santé

1. Retrouvez le métier de chaque personne.

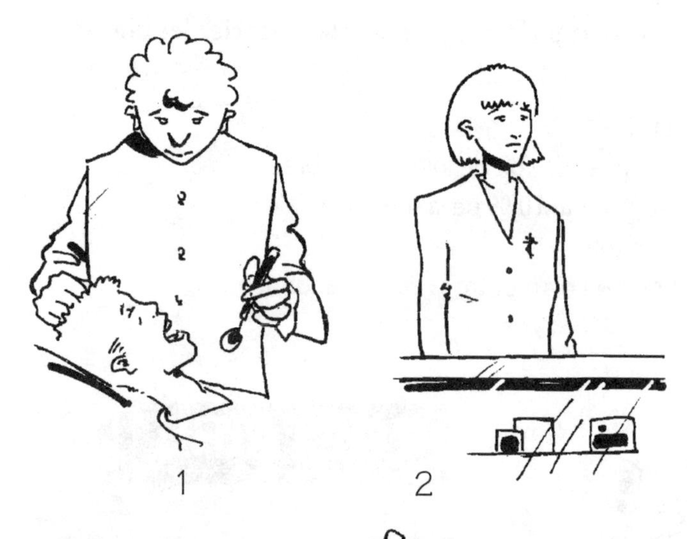

3

4

5

un médecin
un infirmier
une sage-femme
un chirurgien
une pharmacienne
un ambulancier
un dentiste
un psychiatre
un opticien

2. Classez dans le tableau ci-dessous ce qui est bon ou mauvais pour la santé.

Bon	*Mauvais*
....	....
....	....
....	....
....	....

Manger trop gras
Faire de l'exercice
Fumer
Boire trop d'alcool
Boire un litre d'eau par jour
Éviter le stress
Manger équilibré
Se coucher tard, trop souvent

3. Entourez l'intrus.

1	2	3
docteur	pilule	emballage
ambulancier	chocolat	bandage
jardinier	comprimé	pansement
dentiste	cachet	plâtre

4. Reliez le problème de santé avec l'objet qui y fait référence.

1. Prendre du poids.
2. Avoir des insomnies.
3. Avoir de la fièvre.
4. Se casser une jambe.
5. Avoir une mauvaise vue.

a. Un plâtre.
b. Une paire de lunettes.
c. Un verre de lait chaud.
d. Une balance.
e. Un thermomètre.

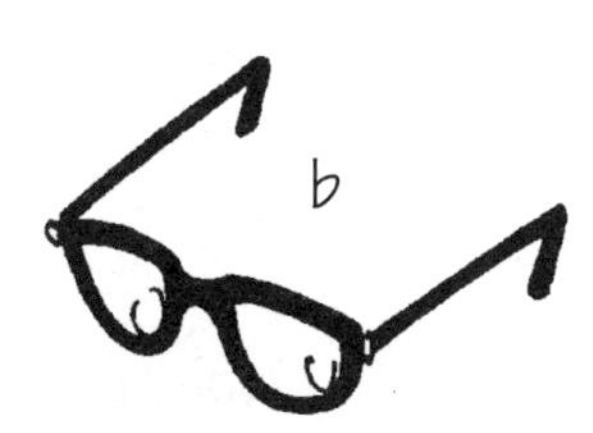

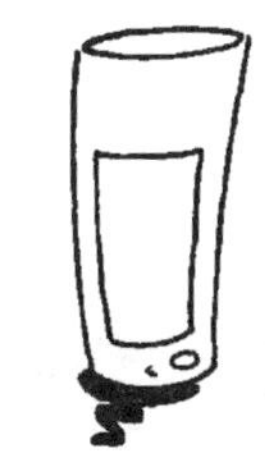

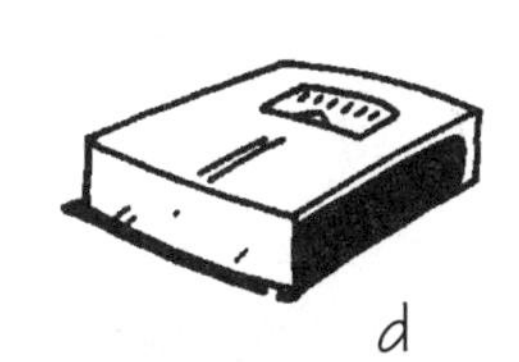

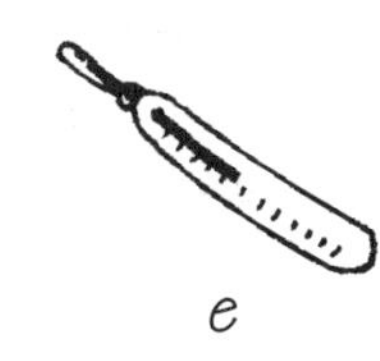

5. Que faire quand cela arrive ?

1. un état de choc
2. une entorse à la cheville
3. un empoisonnement
4. une petite coupure
5. le nez qui saigne
6. une otite
7. une morsure de serpent
8. une insolation
9. une hypoglycémie
10. un état fiévreux

a. Nettoyer avec un désinfectant et mettre un pansement.
b. Presser sur la narine.
c. Faire allonger la personne et lui parler calmement.
d. Faire un bandage le plus vite possible.
e. Appeler le centre antipoison.
f. Mettre la personne à l'ombre et la faire boire.
g. Aller voir le médecin.
h. Ne pas bouger la personne et faire la piqûre de sérum.
i. Prendre la température et surveiller.
j. Mettre la tête en bas et manger un aliment très sucré.

40
L'éducation

1. **Nommez le matériel dont un étudiant a besoin. Associez chaque nom de la liste à un dessin.**

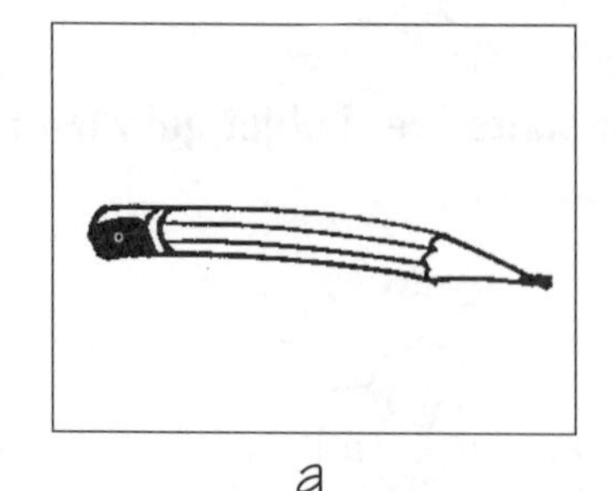
a

b

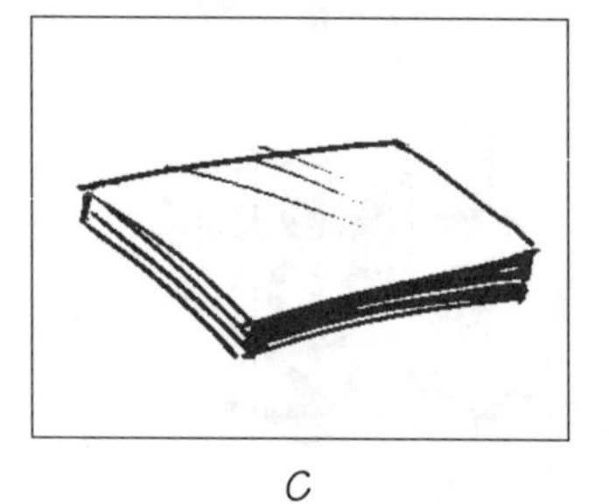
c

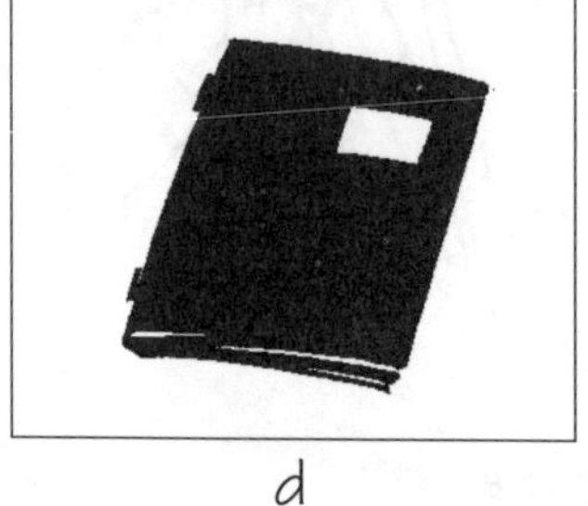
d

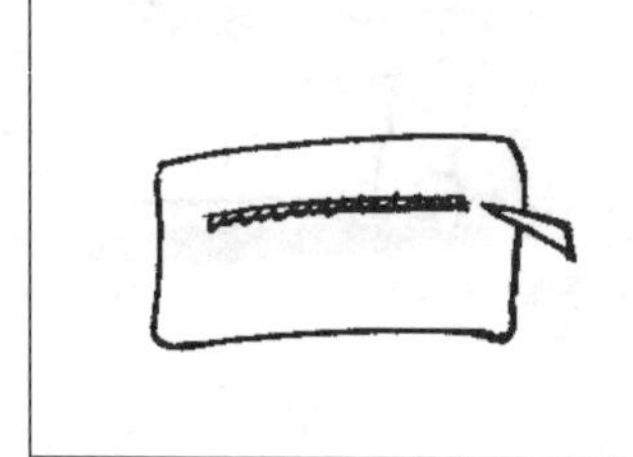
e

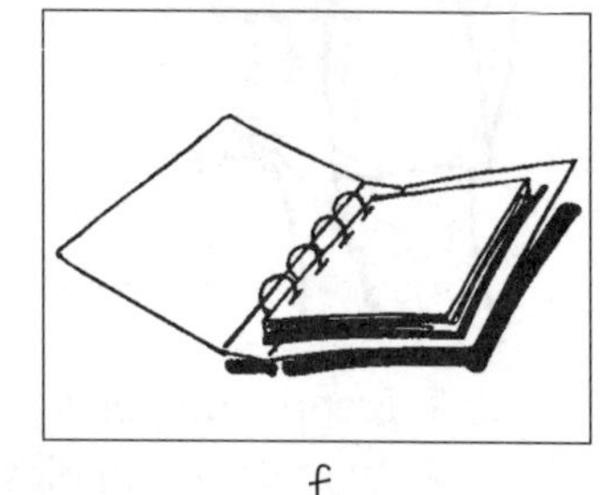
f

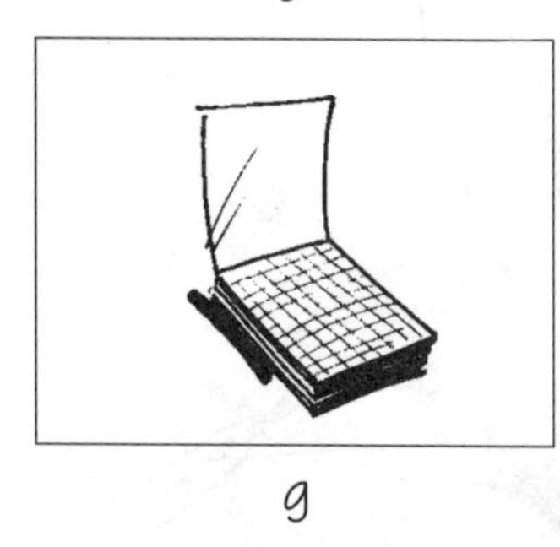
g

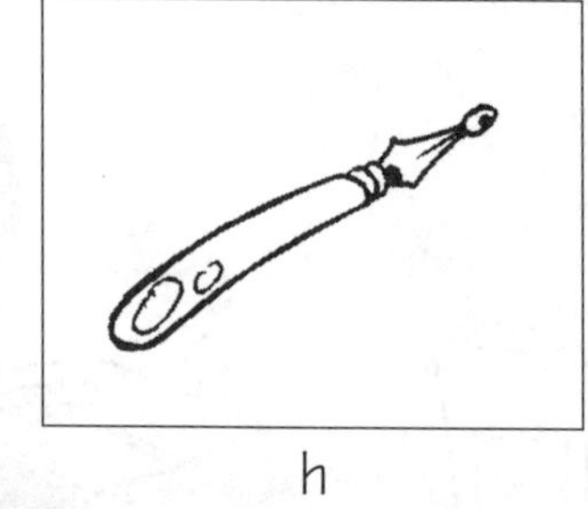
h

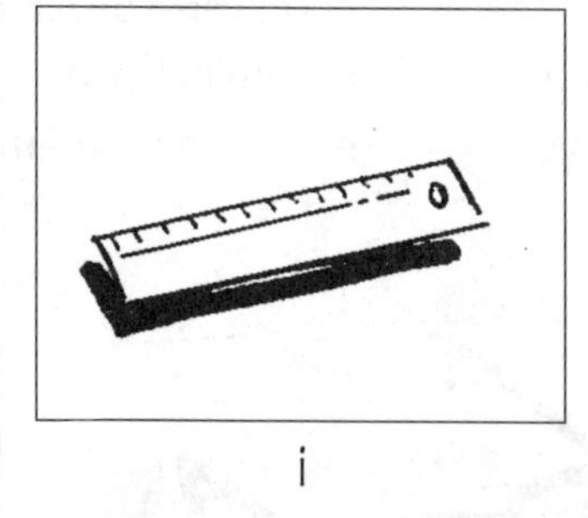
i

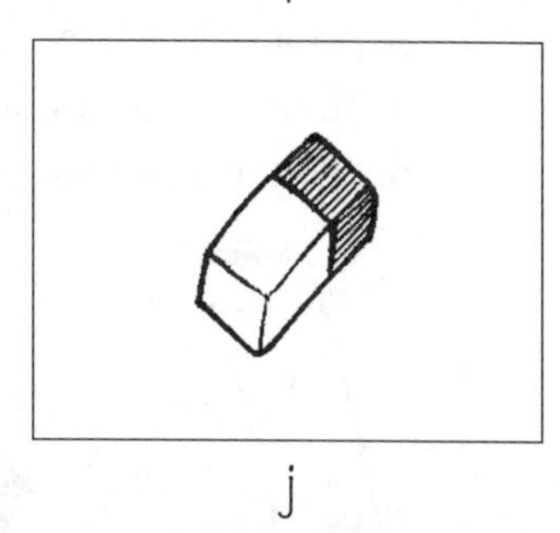
j

un crayon de papier	une règle	un bloc-notes	un stylo-plume	une trousse
un porte-documents	une gomme	un classeur	un paquet de feuilles	un cahier

2. **Complétez le dialogue.**

1. – Quel est le prochain .... ?
2. – Attends, je regarde sur mon .... : c'est les maths.
3. – Chouette, c'est ma .... préférée !
4. – Moi, je n'ai pas pu suivre tout le .... de l'année dernière, j'aurai beaucoup de .... à faire pour les examens.

matière cours programme révisions emploi du temps

3. Complétez le tableau avec les mots de la liste.

Âge	*Lieu*	*Enseignant*	*Enseignés*
0 à 3 ans	....	....	....
3 à 11 ans	....	....	....
12 à 15 ans	....	....	....
15 à 18 ans	....	....	....
plus de 18 ans	....	....	....

professeur — collégiens — enfants — écoliers — instituteur — puéricultrice — université
étudiants — collège — lycée — lycéens — crèche — école maternelle et primaire

4. Associez chaque matière de la liste au dessin correspondant. Puis calculez le nombre d'heures par matière qu'un collégien doit suivre dans la semaine.

Emploi du temps

	lundi	mardi	mercredi	jeudi	vendredi
8h	a			h	
9h		d	LES ROIS DE FRANCE g	i	
10h	b		LES ROIS DE FRANCE		
11h		e			
12h					
14h	c			j	
15h		f			
16h					
17h					

géographie — informatique — français — sport — sciences physiques/biologie
musique — mathématiques — histoire — art — langues étrangères

1
Le corps humain p. 6-7

1. a. Il a mal à la tête. – b. Il a mal au doigt. – c. Il a mal au coude. – d. Il a mal au dos. – e. Il a mal à la jambe. – f. Il a mal au pied. – g. Il a mal au cou. – h. Il a mal au bras.

2. 1.d – 2.e – 3.b ou a. – 4. e – 5. c

3. 1.I – 2.E – 3.I – 4.E – 5.I – 6.E – 7.I – 8.E – 9.I – 10.E – 11.I – 12.E

4. 1.c – 2.f – 3.g – 4.b – 5.a – 6.h – 7.d – 8.e

5. **1re colonne :** mince – élancé – maigre – sec – squelettique – fin
2e colonne : corpulent – obèse – énorme – fort – gros – rond

2
Le visage p. 8-9

1. **Couleur :** blancs – foncés – roux – blonds – bruns – châtains – gris – clairs
Type : bouclés – raides – frisés – crépus
Longueur : courts – longs – mi-longs

2. 1.g – 2.h – 3.f – 4.e – 5.a – 6.c – 7.b – 8.d

3. 1. sourcils – 2. langue – 3. yeux – 4. dents – 5. nez – 6. lèvres – 7. bouche – 8. joues – 9. front – 10. menton – 11. oreilles

4. 1.C.b – 2.A.c – 3.D.a – 4.B.d

3
Les sens p. 10-11

1. **La vue :** fixer – regarder – voir – observer
L'odorat : renifler – humer – respirer
L'ouïe : écouter – entendre
Le goût : goûter – déguster – savourer
Le toucher : toucher – caresser – masser – tâter

2. 1.d. observer – 2.b. visité – 3.c. assisté à – 4.a. aperçu – 5.e. constaté

3. SUCRÉ : un bonbon – un gâteau
SALÉ : l'eau de mer – les larmes – la sueur
ACIDE : le citron – l'orange – le vinaigre
AMER : le café – certaines amandes
ÉPICÉ : un plat avec du piment

4. **Faibles :** gémir – murmurer – marmonner – chuchoter – soupirer
Forts : crier – hurler – siffler – vociférer – rugir

5. 1.b – 2.c – 3.a – 4.d

4
La famille p. 12-13

1. sœur/frère – nièce/neveu – petite-fille/petit-fils – grand-mère/grand-père – cousine/cousin – fille/fils – femme/mari – mère/père – tante/oncle – belle-fille/gendre – belle-sœur/beau-frère – filleule/filleul

2. 3. Faux, Claudine est la cousine de Jérôme. – 4. Vrai. – 5.Vrai. – 6. Vrai. – 7. Faux, Vincent est le beau-frère de Pierre. – 8. Faux, Jérôme est le neveu de Jean. – 9. Faux, Gisèle est la tante de Céline. – 10.Vrai.

3. 1. père – 2. frère – 3. grand-père – 4. grand-mère – 5. oncle – 6. mère – 7. petite-fille

4. a. nouveau-né < enfant < adolescent < adulte < personne âgée
b. écolier < collégien < lycéen < étudiant < actif < retraité

5. 1. e – 2. d – 3. f – 4. c – 5. b – 6. a

5
Les caractères p. 14-15

1. 1. Il est ambitieux. – 2. Il est bavard. – 3. Il est sévère. – 4. Elle est têtue. – 5. Elle est timide. – 6. Il est impoli. – 7. Elle est sympathique. – 8. Il est ennuyeux. – 9. Elle est intéressante. – 10. Il est curieux.

2. a. amusé – b. méprisant – c. têtu – d. en colère – e. catastrophé – f. perplexe – g. concentré

6
Les gens célèbres p. 16-17

1. 1. i – 2. c – 3. a – 4. e – 5. f – 6. h – 7. d – 8. j – 9. g – 10. b

2. 1. Ugo Tognazzi – 2. Salvador Dali – 3. Georges Simenon – 4. Victor Hugo – 5. Nina Simone – 6. Jean Piat.

3. un romancier – un écrivain – un auteur

4. 1.c – 2.f – 3.b – 4.a – 5.d – 6.e

7
Les vêtements p. 18-19

1. **Homme :** slip – costume – caleçon – maillot de corps – cravate – chemise
Homme et femme : pantalon – manteau – blouson – imperméable – pyjama – veste – anorak – pull-over
Femme : chemise de nuit – tailleur – robe – chemisier – collant – jupe – soutien-gorge – culotte

2. b : Nathalie – f : Virginie – c : François

3. **Irène :** une combinaison de ski – un anorak – une écharpe – un pull-over – un bonnet – des chaussettes
Thomas : un bermuda – un maillot de bain – un short – une chemisette – un T-shirt

4. 1. b – 2. i – 3. d – 4. j – 5. g – 6. c – 7. e – 8. h – 9. f – 10. a

8
Les gens et les animaux p. 20-21

1.

le mâle	*la femelle*	*le petit*
le chat	la chatte	le chaton
le bœuf	la vache	le veau
le chien	la chienne	le chiot
le canard	la cane	le caneton
le lion	la lionne	le lionceau
le loup	la louve	le louveteau
le coq	la poule	le poussin
le cheval	la jument	le poulain
l'ours	l'ourse	l'ourson
le mouton	la brebis	l'agneau

2. 1.g – 2.f – 3.e – 4. d – 5.a – 6.b – 7.c

3. **Les reptiles :** la grenouille – le crocodile – le serpent
Les oiseaux : le canari – le perroquet – la poule
Les insectes : la mouche – la fourmi – l'abeille – l'araignée
Les poissons : le requin – la truite – la dorade
Les mammifères : le loup – le cheval – l'ours

4. **Afrique :** le lion – l'hippopotame – le chimpanzé
Amérique du Nord : le grizzly
Amérique du Sud : l'aigle
Australie : le kangourou
Chine : le panda
Europe : le renard
Inde du Nord : le tigre
Inde du Sud : le cobra
Océan Pacifique : le requin – la baleine

9
L'horoscope p. 22-23

1. 1.j – 2.f – 3.h – 4.c – 5.k – 6.i – 7.l – 8.b – 9.d – 10.a – 11.g – 12.e

2. 1. Horoscope – 2. travail – 3. mois – 4. signe – 5. rencontres – 6. forme

3. **Amour :** être aimé – bonheur – séductrice
Santé : terrains de sport – forme – soin
Travail : efficacité – emploi – carrière

4. 1.f – 2.e – 3.g – 4.i – 5.d – 6.c – 7.a – 8.b – 9.j – 10.h

10
Les usages p. 26-27

1. a. Mes condoléances ! – b. Bon anniversaire ! – c. À vos/tes souhaits ! – d. Bon appétit ! – e. À votre/ta santé ! – f. (Toutes) Mes félicitations ! – g. Poisson d'avril ! – h. Bonne année ! – i. Comment allez-vous/vas-tu ? – j. Je vous/t'en prie.

2. 1.b – 2.d – 3.g – 4.e – 5.h – 6.c – 7.f – 8.a – 9.j – 10.i
Ce qui se fait : 2 – 4 – 5 – 6 – 8
Ce qui ne se fait pas : 1 – 3 – 7 – 9 – 10

11
Le monde p. 28-29

1. 1. mers – 2. planète – 3. globe – 4. eau – 5. hémisphère – 6. continents – 7. nord – 8. équateur – 9. océans – 10. Asie – 11. Amérique – 12. Indien

2. **Étendues d'eau :** mare – étang – lac – mer – océan
Cours d'eau : ruisseau – cascade – fleuve – torrent – rivière

3. 1. la Chine – 2. l'Afrique du Sud – 3. le Canada – 4. l'Australie – 5. le Brésil – 6. le Japon – 7. la Corée – 8. l'Arabie Séoudite – 9. la Côte d'Ivoire

4. 1. butte < colline < montagne – 2. champ < campagne < plaine – 3. village < ville < métropole – 4. magasin < supermarché < galerie marchande – 5. maison < immeuble < tour – 6. arbre < bosquet < forêt – 7. sentier < route < autoroute – 8. îlot < île < continent

12
La maison p. 30-31

1. matelas : 2 – couette : 6 – tapis : 5 – armoire : 3 – table de chevet : 11 – lampe : 9 – oreiller : 1 – réveil : 12 – commode : 4 – tiroirs : 7 – affiches : 8 – tableau : 10

2. **La cuisine :** les chaises, le congélateur, la cuisinière, l'évier, le lave-vaisselle.
La chambre : le lit, la commode, la couette, le réveil.
Le salon : la bibliothèque, le canapé, le téléviseur, le fauteuil.
La salle de bains : la baignoire, le bidet, la douche, le lavabo.

3. 1. Débarrasser/Nettoyer la table. – 2. Faire/Ranger la vaisselle. – 3. Balayer/Ranger/Nettoyer la cuisine. – 4. Passer la serpillière. – 5. Ranger/ Nettoyer la chambre. – 6. Faire le lit. – 7. Épousseter les meubles du salon. – 8. Passer l'aspirateur. – 9. Nettoyer/Faire les vitres. – 10. Arroser les plantes. – 11. Vider la poubelle. – 12. Faire une lessive. – 13. Étendre le linge. – 14. Repasser les chemises.

13
Le restaurant p. 32-33

1. 1.f – 2.e – 3.i – 4.j – 5.a – 6.k – 7.h – 8.c – 9.l – 10. d – 11.b – 12.g

2. **Boissons :** une carafe d'eau, un jus de fruit, un pichet de vin, un apéritif.
Entrées : une salade de crabe, une soupe de poisson,.
Plats : un bœuf bourguignon, une omelette, un lapin à la moutarde, un poulet à la crème.
Desserts : une crème caramel, une tarte au citron, une glace à la fraise.

3. 1.e – 2.c ou f – 3.d ou f – 4.a ou b – 5.h – 6.a ou b – 7.g

4. 1.f – 2.c – 3.d – 4.e – 5.g

14
Le supermarché p. 34-35

1. 1. faire les courses – 2. liste – 3. chariot – 4. panneaux – 5. rayons – 6. caisse

2. 1. produits laitiers – 2. boulangerie – 3. fruits-légumes – 4. boissons – 5. produits d'entretien – 6. hygiène – 7. boucherie-charcuterie – 8. confiserie – 9. épicerie – 10 librairie-papeterie

3.

LIBRAIRIE-PAPETERIE	
FRUITS-LÉGUMES	BOUCHERIE-CHARCUTERIE
BOULANGERIE	PRODUITS D'ENTRETIEN
CONFISERIE	BOISSONS

4. 1.e – 2.i – 3.d – 4.j – 5.b – 6.h – 7.a – 8.f – 9.g – 10.c

15
La poste p. 36-37

1. 1. enveloppe – 2. timbre – 3. destinataire – 4. adresse – 5. numéro – 6. ville – 7. code postal

2. 1.b ou g – 2.c – 3.d – 4.f – 5.a – 6.h – 7.b, e, f ou g – 8.b, e, f ou g

3. 1.b – 2.f – 3.e – 4.a – 5.d – 6.c

4. 1.d – 2.f – 3.e – 4.b – 5.a – 6.c

16
L'entreprise p. 38-39

1. 1. personnel – 2. production – 3. commerce – 4. finance

2. bureau (5) – ordinateur (1) – placards (3) – dossiers (7) – secrétaire (2) – courrier (4) - fax [ou fac-similé] (6)

3. 1. capitaine – 2. chef de clinique – 3. maître d'hôtel – 4. maîtresse de maison – 5. patron boulanger – 6. entrepreneur

4. 1.b – 2.d – 3.e – 4.f – 5.g – 6.h – 7.a – 8.c

5. 1.c – 2.b – 3.d – 4.a

17
Les vacances p. 40-41

1. a. 4. Randonnée dans les Alpes – b. 5. Club vacances à la Baule – c. 2. La Seine en péniche – d. 3. Camping dans le maquis corse – e. 6. Découvrir les châteaux de la Loire – f. 1. La France en roulotte

2. 1. des chaussures de marche et un sac à dos – 2. un ciré et une carte de navigation – 3. une paire de skis et un bonnet – 4. un jeu de plage et un parasol

3. 1. g – 2. h – 3. c – 4. b – 5. i – 6. e – 7. d – 8. f – 9. a

2. Pour Catherine, je conseillerais : La France en roulotte.
Pour Pierre : Découvrir les châteaux de la Loire.
Pour Dominique : le club vacances à La Baule.

18
Les loisirs p. 42-43

1. 1. au restaurant – 2. dans un bar – 3. dans une discothèque – 4. au zoo – 5. au musée – 6. au théâtre – 7. au cinéma – 8. au casino – 9. au stade – 10. à la patinoire

2. 1.a – 2.c – 3.c – 4.b – 5.a – 6.c – 7.b – 8.c

3. 1.h – 2.a – 3.f – 4.b – 5.j – 6.d – 7.i – 8.c – 9.g – 10.e

4. 1.e – 2.h – 3.i – 4.g – 5.c – 6.f – 7.a – 8.j – 9.b – 10.d

19
Ville ou campagne ? p. 44-45

1. Ville : 1 – 5 – 6 – 9 – 10 – 12
Campagne : 2 – 3 – 4 – 7 – 8 – 11

2. Ville : a.10 – b.6 – c.1 – d.9 – e.12 – f.5
Campagne : g.3 – h.7 – i.8 – j.11 – k.4 – l.2

3. Ville : appartement, habitation à loyer modéré (HLM), studio, immeuble
Campagne : ferme, résidence secondaire, maison de campagne, chaumière

4. 1. cinéma – 2. expositions – 3. lèche-vitrines – 4. salle de sports – 5. promenades – 6. champignons – 7. mûres – 8. pique-nique

20
Le plan p. 46-47

1. Le tableau est **au-dessus** du canapé. La lampe est **sur** la table. Le chien est **entre** les deux coussins. Le livre est **sous** la table. Le ballon est **en face de** la porte. Les fleurs sont **dans** le vase.

2.

les vautours	ENTRÉE	les otaries
les éléphants	les singes	les lions
les ours	les serpents	les girafes

3. 4 – 6 – 5 – 1 – 2

Sortez de l'impasse, prenez à droite, puis la première à gauche. Au carrefour, tournez à droite. Sur votre gauche, en descendant la rue, vous trouverez le marché.

21
Exercer un métier p. 50-51

1. 1.f – 2.e – 3.b – 4.g – 5.d – 6.a – 7.c – 8.h

2. Homme ou femme : peintre, fleuriste, professeur, concierge, journaliste, libraire
Homme : directeur, acteur, infirmier, serveur, cuisinier
Femme : directrice, actrice, infirmière, serveuse, cuisinière

3. 1. acteur – 2. serveur/serveuse – 3. peintre – 4. libraire – 5. concierge – 6. professeur

4. 1. à la pharmacie – 2. au café – 3. dans une station-service – 4. à l'hôtel – 5. à la boulangerie – 6. dans un salon de coiffure – 7. à la gare – 8. dans un cabinet médical

5. 1. Madame Durand – 2. Il est journaliste. – 3. Monsieur Dupont est dentiste.

22
Faire du sport p. 52-53

1. 1.d – 2.e – 3.a – 4.f – 5.b – 6.g – 7.c

2. 1. service – 2. filet – 3. adversaire – 4. raquette – 5. arbitre – 6. court – 7. spectateurs

3. 1.d – 2.h – 3.a – 4.b – 5.g – 6.c – 7.f – 8.e

4. 1.d – 2.b – 3.a – 4.e – 5.c

23
Payer p. 54-55

1. 1.b – 2.a – 3.c

2. 1.a – 2.a et b – 3.b – 4.a – 5.c – 6.b – 7.a et b – 8.c – 9.c

3. Il fallait entourer les mots des phrases : 2 – 3 – 6 – 7 – 8 – 9 – 12

4. 1.d – 2.f – 3.h – 4.b – 5.e – 6.a – 7.c – 8.g

24
Correspondre p. 56-57

1. 1.b – 2.f – 3.e – 4.c – 5.d – 6.a

2. 1.b – 2.f – 3.d – 4.e – 5.a – 6.c

3. 1.b E – 2.f B – 3.d F – 4.e A – 5.a C – 6.c D

4. A.1 – B.4 – C.3 – D.2 – E.5 – F.6

25
Jouer p. 58-59

1. a. reculer d'une case – b. piocher – c. être sur la case départ – d. avancer d'une case – e. battre les cartes – f. la case arrivée – g. distribuer les cartes – h. lancer les dés – i. compter les points – j. passer un tour

2. 1. carré – 2. pique – 3. découper

3. 1.b – 2.a – 3.b – 4.b – 5.a – 6.b – 7.b

4. 1.b – 2.c – 3.a – 4.d

26
Compter p. 60-61

1. 1.c – 2.b – 3.c – 4.c – 5.a – 6.b

2. 1. quatre – 2. neuf – 3. cinq – 4. sept – 5. treize – 6. douze – 7. onze – 8. six – 9. trois – 10. dix – 11. cent

3. 1.g – 2.a – 3.c – 4.d – 5.e – 6.b – 7.h – 8.f

4. 1.d – 2.c – 3.a – 4.b – 5.e

5.

opération	*signe*	*résultat*	*verbe*
addition	**plus** +	somme	additionner
soustraction	moins –	différence	**soustraire**
multiplication	multiplié par fois x	**produit**	multiplier
division	divisé par ÷	quotient	diviser

6. 1. divisé par – 2. fois/multiplié par – 3. égale – 4. moins

27
Cuisiner p. 62-63

1. a. mélangez le sucre avec les œufs. – b. versez la pâte dans le moule. – c. coupez les pommes. – d. beurrez un plat. – e. cassez les œufs. – f. faites fondre le beurre.

2. a. une poêle – b. une cuillère en bois – c. un couteau – d. une plaque électrique – e. un four – f. un couteau-éplucheur – g. un rouleau à pâtisserie – h. un fouet

3. 1.e – 2.a – 3.f – 4.b – 5.g – 6.d – 7.c – 8.h

4. 1. couper, faire fondre – 2. couper, hacher – 3. verser – 4. couper, éplucher – 5. couper – 6. couper, éplucher/hacher – 7. verser.

5. 1. beurrer – 2. faire fondre – 3. casser – 4. mélanger – 5. fouetter – 6. ajouter – 7. verser – 8. faire cuire

28
Mesurer le temps p. 64-65

1. Il fallait entourer : une montre, un chronomètre, une horloge, une pendule, un compte-minutes, un réveil.

2. a. 60/30/15 – b. 3/6/12 – c. 1/2/7 – d. 7/100/1 000

3. 1. 19h ou 20 h – 2. 18h ou 19h – 3. 16h30 (4 heures et demi) – 4. midi (12 heures) – 5. 8h15 (8 heures et quart) – 6. 11h – 7. 21h (9 heures) – 8. 22h (10 heures) 9. 2h – 10. 14h (2 heures)

4. 1. mai – 2. septembre – 3. mars – 4. juin – 5. juillet – 6. avril – 7. janvier – 8. août – 9. novembre – 10. février– 11. décembre – 12. octobre

5. 1. demain – 2. hier – 3. après-demain – 4. avant-hier

29
Mettre de la couleur p. 66-67

1. 1. marron – 2. jaune – 3. noir – 4. blanc – 5. vert – 6. rouge – 7. violet – 8. gris – 9. bleu – 10. rose – 11. orange

2. 1. tomate → La tomate n'est pas verte. – 2. citron → Le citron n'est pas noir. – 3. pré → Le pré n'est pas rouge. – 4. souris → La souris n'est pas jaune. – 5. mandarine → La mandarine n'est pas de couleur marron.

3. 1. verts – 2. rouge – 3. jaune – 4. noir – 5. roses – 6. bleu – 7. rouges – 8. noir – 9. blanc – 10. blanc

4. 1.f C – 2.e F – 3.d H – 4.h B – 5.g D – 6.c A – 7.b G – 8.a E

5. **Une couleur :** uni
Plusieurs couleurs : moucheté, bariolé, panaché, multicolore, chamarré
Attention ! «pâle, foncé, clair, sombre» peuvent être utilisés dans les 2 colonnes.

30
Mesurer et tracer p. 68-69

1. 1. un carré – 2. un losange – 3. un cube – 4. un triangle – 5. un cercle – 6. un hexagone – 7. un rectangle

2. 1. côtés – 2. longueur/largeur – 3. angles – 4. hauteur – 5. diamètre

3.

4. 1.b – 2.d – 3.e – 4.c – 5.f – 6.a – 7.g

31
Le dictionnaire p. 72-73

1. assiette – corbeille – couteau – cuillère – fourchette – pichet – saladier – salière – serpillière – serviette – verre
L'intrus : c'est la serpillière car on ne la met pas sur la table.

2. **tomate :** plante – fruit – apéritif (alcool que l'on prend avant le repas)
oie : oiseau – personne sotte

3. 1.a – 2.d – 3.a – 4.e – 5.c – 6.b

4. 1. construit. d. construire – 2. visité. b. visiter – 3. mesure. a. mesurer – 4. coûte. e. coûter – 5. jouait. c. jouer

5. 1. une fleurette – 2. un(e) fleuriste – 3. fleurir – 4. la flore – 5. la floraison

32
Les journaux p. 74-75

1. 1.d – 2.f – 3.e – 4.g – 5.a – 6.c – 7.b

2. 1.g – 2.h – 3.e – 4.b – 5.d – 6.c – 7.f – 8.a

3. 1. Politique intérieure – 2. Faits divers – 3. Petites annonces – 4. Sports – 5. Politique étrangère – 6. Programme de la télévision – 7. Météorologie – 8. Économie – 9. Publicité – 10. Carnet (nécrologie)

33
Les petites annonces p. 76-77

1. 1.a – 2.c – 3.b – 4.d

2. 1. immeuble – 2. ménage – 3. piano – 4. argenterie – 5. téléphones – 6. modèle – 7. comédiens – 8. femme – 9. chatte – 10. serveuse – 11. camion

3. 1. transport – 2. domicile – 3. septembre – 4. argent – 5. homme – 6. pièces – 7. sérieuses.

4. 1. Immobilier – 2. Divers – 3. Carrières et emplois – 4. Auto-Moto – 5. Vacances-Tourisme – 6. Relations-Mariages – 7. À votre service

34
La télévision p. 78-79

1. 1. 0h20 – 2. 12h59 – 3. 11h30 – 4. 20h40 – 5. 22h20 – 6. 7h00 – 7. 13h15 – 8. 23h15 – 9. 11h55

2. 1.F, Paul Amar – 2.V – 3.V – 4.F, à 11h55 – 5.V – 6.V – 7.F, ce sont les championnats du monde.

3. 1.d – 2.g – 3.f – 4.e – 5.b – 6.h – 7.a – 8.c

4. 1. un peu avant 23h35 – 2. Paul Morand

35
La météo p. 80-81

1. 1.e – 2.d – 3.c – 4.b – 5.a – 6.f

2. 1. couvert – 2. éclaircies – 3. pluie – 4. ensoleillée – 5. nuageux – 6. orages – 7. brouillard – 8. averses

3. 1.b – 2.a – 3.a – 4.a – 5.b – 6.b – 7.b

4. 1.c – 2.d – 3.f – 4.a – 5.e – 6.b

36
La publicité p. 82-83

1. 1. un concepteur-rédacteur – 2. un slogan – 3. une marque de produit – 4. une affiche publicitaire – 5. un afficheur – 6. un prospectus – 7. un présentoir – 8. un consommateur

2. 1.a – 2.c – 3.b

3. **Ses paysages :** ses lacs, ses plaines enneigées,ses monuments, ses fermes.
Ses animaux : ses chevaux, ses vaches.
Ses spécialités : ses vins, sa charcuterie, son fromage.
sa technologie : ses montres, ses pipes, ses trains.
Ses coutumes : ses courses automobiles, ses départs de mongolfières.

37
Le téléphone p. 84-85

1. 1.c – 2.e – 3.a – 4.b – 5.d – 6.f

2. 1.f. une facture – 2.b. un répondeur – 3.d. un combiné – 4.e. un annuaire – 5.a. un Minitel – 6.c. un téléphone

3. 1.c – 2.d – 3.a – 4.e – 5.b – 6.f

4. 1.c – 2.a – 3.a – 4.a

38
Les transports p. 86-87

1. **Ils roulent :** la motocyclette, l'autobus, le vélo, le métro, le camion, le train, la voiture.
Ils flottent : la barque, le cargo, la péniche, le voilier, le bateau.
Ils volent : l'hélicoptère, la montgolfière, l'avion.

2. **La route :** garage, trottoir.
Le rail : train.
La mer : port, capitaine, débarquer, embarquer, accoster, traversée.
L'air : avion, aéroport, piste, pilote, débarquer, embarquer, atterrir, vol.

3. 1.c – 2.d – 3.a – 4.f – 5.b – 6.e

4. **Taxi :** 1.d – 2.e – 3.b
Bus : 4.a – 5.g
Métro : 6.c – 7.f

39
La santé p. 88-89

1. 1. un dentiste – 2. une pharmacienne – 3. un chirurgien – 4. un psychiatre – 5. un ambulancier – 6. une sage-femme – 7. un infirmier – 8. un opticien – 9. un médecin

2. **Bon :** Faire de l'exercice. – Boire un litre d'eau par jour. – Éviter le stress. – Manger équilibré.
Mauvais : Manger trop gras. – Fumer. – Boire trop d'alcool. – Se coucher tard trop souvent.

3. 1. jardinier – 2. chocolat – 3. emballage

4. 1.d – 2.c – 3.e – 4.a – 5.b

5. 1.c – 2.d – 3.e – 4.a – 5.b – 6.g – 7.h – 8.f – 9.j – 10.i

40
L'éducation p. 90-91

1. a. un crayon de papier – b. un porte-documents – c. un paquet de feuilles – d. un cahier – e. une trousse – f. un classeur – g. un bloc-notes – h. un sylo-plume – i. une règle – j. une gomme

2. 1. cours – 2. emploi du temps – 3. matière – 4. programme – 5. révisions

3.

Âge	*Lieu*	*Enseignant*	*Enseignés*
0–3 ans	crèche	puéricultrice	enfants
3–11 ans	école maternelle et primaire	instituteur/trice	écoliers
12–15 ans	collège	professeur	collégiens
15–18 ans	lycée	professeur	lycéens
plus de 18 ans	université	professeur	étudiants

4. a. français – b. langues étrangères – c. sports – d. géographie – e. art – f. mathématiques – g. histoire – h. musique – i. informatique – j. sciences-physiques/biologie.

N° Editeur : 10019210-I (6) - (OSB - 80°) - Avril 1994
Imprimé en France par I.M.E. - 25110 Baume-les-Dames - N° impression : 9191